RECOMPENSAS
para Niños

por buen Comportamiento

RECOMPENSAS para Niños

por buen Comportamiento

Virginia M. Shiller, PhD

En colaboración con
Meg F. Schneider

Gráficos diseñados e ilustrados por
Janet C. O'Flynn

A BEN,
DEREK,
AIDAN,
Y KATHLEEN

Índice

☆ I

PARTE I

☆ II

PARTE II

NUESTRA HISTORIA

Hace ya muchos años, cuando mi hijo concurría al jardín de infantes, tuve la buena fortuna de conocer a Janet O'Flynn, la mamá de uno de sus compañeritos. Al igual que mi hijo, el suyo era un niño resuelto, que a menudo se obstinaba en hacer lo que le viniera en gana. No transcurrió mucho tiempo antes de que Janet y yo descubriésemos que compartíamos el interés por desarrollar maneras creativas y positivas tendientes a alentar buenas conductas. Su talento para crear maravillosos gráficos y actividades cuyo fruto se concretaba en premios para los niños se correspondía con mi deseo de encontrar maneras de atraer el interés de mis propios hijos. Mientras hacíamos arreglos para turnarnos en llevar los niños a la escuela, intercambiábamos nuestras preocupaciones acerca de cómo se adaptarían a una nueva escuela, y discutíamos los caprichos de nuestros hijos menores, Janet y yo pronto descubrimos que nuestra experiencia e ideas podrían resultar de utilidad para otros padres. Así comenzamos a desarrollar un principio de libro.

Aún puedo recordar la tarde en la cual, sentada en la cocina de Janet, reparé en el gráfico de "Alimenta al gatito" que se hallaba sobre el refrigerador. La hija de Janet, de tres años de edad, se había negado a beber esa "asquerosa sustancia rosada" (un antibiótico que le habían prescrito para una infección del oído) hasta que Janet había dibujado un gato que podía ser "alimentado" con stickers que representaban comida cada vez que la niña tomaba su medicina. – ¡Estupenda idea! Incluyámosla en el libro – fue mi reacción inmediata.

Los gráficos La Tierra de los Dinosaurios y Bienvenidos al Zoológico se inspiraron en la fascinación de nuestros hijos por los animales. Finalmente, mi hijo menor comenzó a cooperar con el cepillado de sus dientes cuando pegué el gráfico Bienvenidos al Zoológico sobre la pared, al lado de su cama, y le ofrecí la oportunidad de aumentar la colección de animales cada noche. El gráfico se convirtió en un elemento decorativo muy apreciado; hasta el día de hoy, acompaña a otros recuerdos favoritos de la infancia guardados en lugar seguro.

Por supuesto, este libro no es el producto de un laboratorio psicológico ni de un grupo de estudios profesionales. Es el trabajo resultante de dos mamás que se propusieron relacionar sus conocimientos profesionales (Janet es terapeuta ocupacional y yo, psicóloga clínica) con lo que demanda la crianza de los niños. Con toda franqueza, la excitación de desarrollar un libro también contribuyó a mantener nuestro buen ánimo ante los desafíos presentados por los avatares de la maternidad.

Durante un tiempo, el libro fue dejado de lado, puesto que las presiones del trabajo y del hogar limitaban el tiempo del que disponíamos para pulir el manuscrito y buscar un editor dispuesto a tomar en consideración una obra que salía de los cánones tradicionales. Sin embargo, el paso del tiempo tuvo un beneficio inesperado. A medida que se aproximaba el momento de publicar el libro, nuestros hijos iban alcanzando la edad adulta. Ahora se confirma lo que sostengo en el texto: que el uso apropiado de las recompensas cuando los niños son pequeños no da como resultado individuos que esperan ser premiados por cada logro que obtienen. A Janet y a mí nos complace ver que nuestros hijos persiguen sus propias metas sin exigir que sus esfuerzos sean recompensados por retribuciones ajenas a las metas mismas. Los entusiasma asumir desafíos y contribuir con sus familias y con su comunidad de manera responsable.

Cuando di a conocer a otras personas versiones provisionales de este libro, me gratificó recibir reacciones entusiastas. Los padres que, en mi práctica privada, me consultaron acerca de las dificultades que enfrentaban con sus hijos, encontraron que el libro constituía un accesorio útil a la orientación recibida. Asimismo, los graduados e internos supervisados por mí, en el Centro de Estudios Sobre la Infancia de la Universidad de Yale, me han manifestado que los gráficos y actividades de recompensa son mucho más creativos que otros con los que se han encontrado a lo largo de su formación profesional.

El libro alcanzó su plena madurez cuando Meg Schneider se unió al equipo. Meg es una consumada escritora con gran experiencia en el campo de la salud mental. (Debo agregar que es también madre de dos niños). Su delicioso sentido del humor, su práctico estilo de volcar las ideas en la escritura, y su clara visión acerca de cómo organizar este tipo de libro contribuyó a transformar mi manuscrito; – hasta entonces una suerte de árido manual – en un libro lo suficientemente atractivo como para que los fatigados padres sintieran deseos de leerlo una vez que los niños ya estaban arropados en sus camas. Meg no sólo trajo al proyecto su habilidad para escribir con claridad e ingenio, sino que también aportó ideas para los Planes de Recompensas con base en estrategias que ella misma utilizaba en su trabajo con niños y familias.

Espero sinceramente que este libro les proporcione consejos útiles a medida que ustedes y sus hijos se enfrentan a los desafíos que son comunes a toda infancia. Espero también que el saber que el texto fue elaborado por padres que, al igual que ustedes, han estado "en las trincheras", les ayudará a creer que ustedes también pueden encarar su labor de padres de manera positiva.

Por último, quisiera expresar mi reconocimiento por las ideas creativas y por los comentarios de apoyo y sostén que recibí de muchísimas personas. Padres, abuelos, y profesionales del cuidado infantil me proporcionaron su opinión sobre el manuscrito y compartieron conmigo sus experiencias personales en el uso de los gráficos de Recompensas. Debo mencionar aquí los nombres de Beth Klingher, Ellen Brainard, Marjorie Orellana, Lauren Pinzka, Torr Hepburn, Robert Faulstich, Lisa Weiler, Linda Poland, David Roberts, Nancy Faulstich, Michael Dunn, Dorothy Bowe y Alma Bair. Mis colegas del Centro de Estudios para la Infancia de la Universidad de Yale han sido una fuente de inspiración y apoyo durante todo este tiempo. Deseo expresar mi particular reconocimiento a las doctoras Sara Sparrow y Diane Findley y a las estudiantes Cheryl Kleiman, Arielle Berman y Anna Cassar por su influencia sobre el libro. Otros colegas cuya muy especial contribución aprecio son Ann Singer, Deborah Gruen, Karen Steinberg, Rosalind Atkins, Bonnie Becker, Nancy Lesh y Joan Wexler.

Para Janet y yo, materializar una traducción al español resultó una experiencia valiosa. Aunque mis conocimientos del idioma eran escasos, pronto aprendí muchas expresiones, y quedé gratamente impresionada por la elegancia de la lengua castellana. El trabajo de equipo entre quienes hicieron su aporte a este complicado proyecto fue extraordinario. Jorge Pinto, con la flexibilidad y creatividad que lo caracterizan, creó una atmósfera de colaboración en el marco del respeto mutuo. Establecí una relación de verdadera amistad con Marta Merajver, mi talentosa traductora que, a pesar de residir en la lejana Argentina, se mostró dispuesta en todo momento a solucionar inconvenientes de último momento y a responder preguntas por medio de Internet. Janet disfrutó dando nueva vida a los gráficos originales, reconvirtiéndolos al español. Observando cómo la diseñadora de imágenes Verónica Taylor y la tipógrafo Susan Hildebrand aplicaban sus conocimientos técnicos y su buen juicio para componer este libro, pudimos apreciar la complejidad que implicaba esta producción. Y a lo largo de todo el proceso, Mimi Pagsibigan dedicó su constancia y sólida formación profesional a la labor editorial y a la totalidad de los aspectos relacionados con la producción.

ACERCA DE LAS CREADORAS DEL PROYECTO

Virginia M. Shiller, PhD, es psicóloga clínica matriculada, especializada en terapia infantil y familiar. Realizó su fellowship en psicología, en el Departamento de Psiquiatría de la Facultad de Medicina de Harvard, y se desempeñó en una posición similar en el Centro Bush para el Desarrollo Infantil y la Política Social de la Universidad de Yale. En la actualidad es profesora del Centro de Estudios sobre la Infancia de Yale y ejerce también la práctica privada.

La Dra. Shiller promueve activamente las necesidades de los niños tanto a través de la escritura como del activismo político. En su carácter de presidenta de la Comisión Infanto-juvenil de la Asociación Psicológica de Connecticut, obtuvo el Premio por Servicios Extraordinarios de dicha Asociación en 2002. La Dra. Shiller es la orgullosa madre de dos varones y vive en New Haven, Connecticut, (USA), con su esposo Robert.

Janet C. O'Flynn, OTR/L, BCP es terapeuta ocupacional matriculada, especializada en pediatría. Realizó su licenciatura en artes liberales en St. John's College, Annapolis, Maryland, y completó su formación posterior en terapia ocupacional en la Universidad de Pennsylvania.

O'Flynn se ha desempeñado en la escuela pública y en programas de intervención temprana en Virginia, Connecticut, y Massachusetts. Ha tenido oportunidad de disfrutar de su labor en el campo de la educación especial y terapia ocupacional en el extranjero también, en Perú y Haití. Fue coautora del libro *Ordinary Miracles: True Stories About Overcoming Obstacles and Surviving Catastrophes*. Vive con su esposo, su hijo y su hija en Hamilton, Nueva York, (USA).

PARTE I

Todo Acerca De Los Planes
De Recompensa

CAPÍTULO 1

"¡NO QUIERO!"

INTRODUCCIÓN

Cuando Julia llegó a la casa donde se celebraba el cumpleaños para recoger a su hija Natalia, percibió los sonidos típicos que indicaban que la fiesta aún continuaba. Por un breve instante pensó en marcharse; lo que fuese, con tal de eludir la escena inevitable. Pero no tenía alternativa. Debía apresurarse a llevarse a Natalia, porque las esperaban para una cena en la que se reuniría la familia.

– Hola – , Martha, la madre de la agasajada saludó amablemente a Julia al abrir la puerta, diciéndole: – Estamos a punto de terminar. Natalia lo pasó de maravilla – y, volviendo la cabeza para buscar a la niña, la llamó.

– ¡Natalia, cariño, aquí está tu mamá! Natalia alzó la vista, echó una mirada a Julia, y fue como si su rostro fuese a estallar en mil pedazos.

– ¡NOOOOOOOOOO! – aulló, mientras Julia permanecía inmóvil, embargada por la acostumbrada combinación de enojo, turbación y frustración que la asaltaba siempre que tenía que recoger a su hija de una fiesta o de una invitación a jugar con sus amiguitos. Inmediatamente comenzó a revolver en su bolso, tratando de encontrar algo que distrajera a Natalia de la partida; un objeto cualquiera para que la niña se calmara y pudieran partir.

Buscando a tientas, sus dedos rozaron un pequeño animalito de peluche que había escogido para regalárselo a su sobrina. Lanzó una rápida mirada a Natalia, quien ahora estaba literalmente aferrada al borde de la mesa, como incitando a que se la arrancara de ahí a viva fuerza. Bueno, el juguete lo lograría, pensó Julia para sus adentros. '¿Lograría qué cosa?' – de pronto, la pregunta resonó en su cabeza.

Encogiéndose de hombros, Julia le alcanzó el juguete a Natalia. ¿Qué más daba?, ¿Qué otra alternativa le quedaba?*

En realidad, Julia sí tiene una alternativa. Puede optar por ayudar a Natalia y a sí misma a controlar la situación. En el momento en que las dejamos, ambas están atrapadas en un tango desquiciante, y ninguna sabe cómo apagar la música y apartarse. Como psicóloga especializada en el tratamiento de niños, siempre me ha fascinado la dinámica – tanto si es difícil como si no lo es – característica de las relaciones entre padres e hijos pequeños. Cuando yo misma me convertí en madre, me interesó particularmente la diversidad de las modalidades en las que padres e hijos luchan entre sí, y fue así que me propuse descubrir nuevas maneras para que padres e hijos puedan avanzar juntos en armonía.

Fue así como surgió *Recompensas Para Niños Por Buen Comportamiento*.

Este libro examina una de las mejores maneras que he descubierto para que la música sea otra. Durante esos momentos potencialmente difíciles, Julia y Natalia *pueden* encontrar otra danza menos teatral, mucho más cálida, y con un final mucho más positivo.

Natalia y Julia están sujetas a una operación tiránica en el momento en el cual la niña debe ser retirada del lugar donde se encuentra, y la tiranía en juego no es en absoluto metafórica. Ahora es Natalia quien se comporta tiránicamente, exigiendo un "pago" a cambio de una conducta que debería darse voluntariamente. Si Julia comenzara a regañarla, a gritarle, a castigarla, amenazarla, o criticarla, no harían más que intercambiar los roles y, finalmente, tanto la madre como la hija terminarían sintiéndose frustradas, furiosas, e incomprendidas. Si no se pone límite a este proceso, es posible que Natalia, e incluso Julia, comiencen a temer su propia incapacidad para ejercer el control sobre sus actos.

No me cabe duda de que usted, como padre o madre, se ha encontrado en alguna situación similar. Le ha ocurrido alguna vez (muchas veces, posiblemente) que su hijo o hija se comportara de un modo que a usted le resultaba francamente intolerable. Tal vez se tratara de una conducta embarazosa (como el uso de malas palabras), o alarmante (por ejemplo, desaparecer de su vista en el área de juegos infantiles), o frustrante (como negarse a hacer la tarea escolar en el momento debido), o simplemente fastidiosa (pongamos por caso, comenzar a gimotear en el preciso momento en el que entran juntos a la tienda de comestibles). Sin entrar en detalles, lo más probable es que en dichas ocasiones

*El recuadro de la derecha contiene un Plan de Recompensas que se adapta al caso de Natalia y su mamá.

Plan de Recompensas para Natalia y su madre para irse de la fiesta en buenos términos

Imagine ser la madre de Natalia enfrentándose a una fiesta más. A usted le resulta intolerable lo que ocurre cuando le va a recoger. Entonces prepara un Plan de Recompensas que les ayude a ambas a atravesar el momento de regreso a casa. Antes de que Natalia parta hacia la fiesta, la hace sentar y la compadece.
– Debe ser muy difícil irse de una fiesta donde te estás divirtiendo... aunque sepas que ya terminó.

Esto hará que Natalia se sienta comprendida, pero también le recordará que, en el momento de tener que regresar, no estará perdiendo gran cosa. Profundiza en el tema diciéndole: – Pero tengo un plan divertido para que no te cueste tanto irte.

Es posible que, al principio, Natalia la mire con desconfianza. Aún así, continúe. – En primer lugar, creo que será más fácil si llamo por teléfono antes de pasar a buscarte. Así sabrás que voy de camino, que te queda tiempo para jugar, y también que en un ratito te irás. Cuando mamá toque el timbre, no te tomará por sorpresa. Luego, cuando llegue a la puerta, te daré tres minutos para terminar con lo que estabas haciendo, y después nos iremos. También puedes recordármelo. Puedes decirme: "Mami, tres minutos".

Natalia comienza a sonreír. Le gusta que usted le ceda parte del control. En este momento, usted aborda el aspecto de la recompensa. – Después, cuando estemos en el auto, te voy a dar algo que se llama un Cupón de Premios *(encuentre cupones en blanco Separables No. 15 en la parte posterior del libro)* Traeré lápices de colores en el auto y podrás pintar el cupón como más te guste.

– ¿Qué es eso? – pregunta Natalia – ¿Cupones?
– ¿Recuerdas que en el almacén, cuando gané un cupón, me permitió comprar dos cajas de cereales al precio de una? Tu cupón te permitirá jugar conmigo una partida del juego de mesa que más te guste esta noche. Cuando tengas ganas de hacerlo, vienes y me das el cupón. Puedes decirme: "¡Mami, vengo a reclamar mi premio!"
– ¿De verdad? – Natalia ríe. – ¿Entonces mando yo?
Usted sonríe. – Recibes un premio porque te has portado bien, como una señorita, cuando paso a recogerte para traerte a casa. Luego le muestra un cupón que ya habrá recortado del libro. Lo coloca en un sobre donde habrá escrito "¡Bienvenida a casa después de tu fiesta!", y le lee estas palabras con gran énfasis.
– ¡Muy bien! – dice Natalia, tomando el cupón.
– ¿Puedo colorear el sobre ahora?

usted se haya desesperado por encontrar alguna manera de evitar el problema.; de proseguir con la tarea que tenía entre manos; *de hacer lo que necesitaba hacer.*

Y también es probable que, aún así, se haya encontrado con que sus alternativas eran limitadas. El recurrir al castigo o a las amenazas terminaba con ambos – usted y su criatura– en un estado de desdicha y de alejamiento mutuo. Y entonces, antes de percatarse siquiera de lo que estaba haciendo, usted se encontraba pensando: '¿Qué moneda de intercambio puedo utilizar? ¿Cuál es la zanahoria que obrará el milagro?'. Sin embargo, al mismo tiempo que buscaba un incentivo positivo, lo asaltaba la idea de que lo que estaba haciendo no era correcto; que estaba *comprando* buena conducta sin enseñarle nada a su hijo o hija; que lo estaba *sobornando* para que hiciera algo que debería estar haciendo sin que mediara protesta alguna.

Bueno, muy probablemente, estaba usted en lo cierto. Bienvenido al club. Cuenta con muchos miembros.

Pero eso pertenece al pasado. Usted no se ha comprometido a seguir el mismo camino de por vida; en realidad, dispone de todas las oportunidades para poner fin, de manera creativa, positiva, inclusive apelando a la buena voluntad y al humor, a esas batallas interminables en las que sólo consigue dominar el incendio mediante la amenaza de privar al niño de algo o la promesa de algún muñeco de un personaje de moda, un CD, o un helado. (Y por cierto, cuando usted ofrece estos sobornos, lo más probable es que sólo esté posponiendo la batalla temporalmente).

UNA MANERA MEJOR

Un Plan de Recompensas constituye una manera sumamente útil, divertida, y creativa de ayudar a su hijo/a a mejorar sus conductas y de contribuir a que ambos ejerzan su parte del control sobre los pasos a seguir. A lo largo del texto utilizaremos la expresión "Plan de Recompensas". Algunos lectores se sentirán más cómodos llamándolo "Plan de Premios", si esta última palabra les resulta más familiar. Da lo mismo, puesto que lo importante aquí es encontrar el modo de ofrecer a los niños pequeños incentivos. Al fin y al cabo, un Plan de Recompensas es un modo de ayudar a que el niño rompa patrones de conducta obstinada y, por elección propia, avance hacia conductas productivas que le causan satisfacción. El plan está basado en algo que se conoce como *modificación de conductas*, lo cual no es más que un término figurativo para describir, a nuestros propósitos, lo que ocurre cuando el niño recibe stickers, estrellas,

puntos, u otras recompensas tangibles inmediatamente después de desplegar el comportamiento apropiado. El niño aprende a asociar la buena conducta con un resultado que le da placer.

Es posible que este principio le suene conocido. Muchos padres han recurrido a las estrellas, los caramelos y otros alicientes mientras acostumbraban a sus hijos a utilizar el sanitario. A menudo los resultados son maravillosos... y rápidos. Por intuición, los padres saben que la mera explicación de los beneficios de utilizar el sanitario no es suficiente para que el niño abandone los pañales. Lo cierto es que el apelar a las recompensas suele traducirse en un cambio de hábitos cuando ya han fracasado todas las otras técnicas.

No es frecuente que aquellos padres que han utilizado un Plan de Recompensas para acostumbrar a sus hijos a utilizar el sanitario se hayan planteado un sistema similar para encarar otros problemas de conducta que surgen con el correr del tiempo. Sin embargo, los beneficios provistos por las recompensas pueden extenderse a una amplia gama de cuestiones. A partir de los tres años de edad, cuando los niños ya han alcanzado un nivel de sofisticación suficiente como para comprender las condiciones de un Plan de Recompensas, hasta los diez años más o menos, los niños acogen el Plan con entusiasmo.

Los elementos básicos para el desarrollo de un Plan de Recompensas son bien sencillos. Luego de reflexionar acerca de las conductas específicas que usted desea ayudar a que sus hijos modifiquen, decida un horario realista para mejorar dichas conductas. Luego seleccione un gráfico de la Parte III del libro de modo tal que tanto usted como sus hijos cuenten con un registro visual concreto. Puede optar por una recompensa final a ser otorgada cuando se haya cumplido el plan en su totalidad, o por algunas recompensas posibles de entre las cuales sus hijos puedan elegir. Luego siéntese con ellos y presénteles el plan de manera positiva. Finalmente, con actitud alentadora y permanente, no pierda de vista los éxitos de sus hijos en tanto cumplen con las condiciones del plan. (Estos pasos se retomarán más adelante).

Por supuesto, es posible que a usted le genere preocupación el utilizar recompensas en una amplia gama de circunstancias, y tal vez ya está pensando: "Mi hijo no es un autómata. ¿Qué sucede con lo que él /ella siente al respecto?" "¿No debería mi hijo comportarse correctamente porque yo se lo indico?" "¿No existe acaso muy poca diferencia entre una recompensa y un soborno?", o tal vez "¿Qué va a impedir que mi hijo pida un televisor propio a cambio de mantener su guardarropa en orden?" Estas son preocupaciones válidas, y creo que puedo tranquilizarlo fácilmente al respecto, pero antes de hacerlo sería útil echar una mirada sobre el marco teórico en el que se basa este plan. Le será de gran ayuda para familiarizarse con la muy eficaz piedra angular de los Planes de Recompensas.

RECOMPENSAS: UNA HISTORIA A CUADROS

Quizá usted haya oído hablar del conductismo. Se trata de una prominente escuela psicológica que tuvo su auge durante la primera mitad del siglo XX y que, por otra parte, continúa gozando de popularidad. Se basa en el principio de que las conductas de todas las criaturas se rigen por las consecuencias que acarrean. Ratones, palomas, delfines o humanos, es probable que todos volvamos a hacer algo si, en el pasado, dicha acción ha traído aparejada una recompensa. Del mismo modo, si hemos experimentado consecuencias desagradables, solemos evitar conductas futuras que desemboquen en esas consecuencias.

Yo adhiero a esta construcción en líneas generales. Pero llegado cierto punto, el conductismo estricto y yo tomamos caminos separados.

B. F. Skinner es el más famoso de los psicólogos conductistas. Comenzó su carrera en un laboratorio, estudiando formas de entrenar ratas y palomas. Llegó a enseñarles a las palomas a batear pelotas de ping−pong recompensándolas con alimentos. Luego de utilizar animales para elaborar el modo más conveniente de distribuir recompensas a fin de alentar el aprendizaje (cuándo darlas, con qué frecuencia, y durante cuánto tiempo), volvió su atención hacia los seres humanos. Skinner estaba firmemente convencido de que el refuerzo positivo habría de ser tan eficaz en la crianza de los niños como lo era en el entrenamiento de animales. Además, creía que lo que ocurre en la mente de las personas y sus emociones no cuenta para la comprensión de la conducta. Los niños aprenden a comer vegetales si se les da postre luego. Punto. En otras palabras, dio un gran salto al pasar de las ratas y las palomas a los niños. Skinner diseñó un sistema para la crianza humana que concentraba toda la atención sobre los cambios en las conductas pero que mostraba poca o ninguna consideración por los efectos operados en las acciones humanas como consecuencia del pensamiento y los sentimientos.

Tenga la seguridad de que no es eso lo que yo creo. De ninguna manera. Acuerdo enteramente con aquellos padres que desconfían de un sistema que disminuye la individualidad de sus hijos y no respeta sus emociones ni su intelecto. No estoy en absoluto de acuerdo con restarle importancia a lo que sucede en el interior del niño siempre y cuando aprenda a hacer lo que se le dice. Me disgusta la idea de pasar por alto las diferencias entre personas y animales. Nuestros niños son seres pensantes, dotados de sentimientos, y experimentan el mundo de manera mucho más compleja que la simplificación propuesta por la idea de que "si hago esto, obtendré esto otro". A menudo existen factores subyacentes que contribuyen a problemas de conducta que no pueden resolverse mediante la aplicación del conductismo estricto. Como terapeuta, creo firmemente que hay que buscar las raíces de los miedos y de otras emociones difíciles para así comprenderlas.

Por añadidura, el lenguaje conductista siempre me ha resultado excesivamente frío y mecánico. *Programas de patrones de refuerzo, extinción de conductas, generalización de los estímulos...* no me complace utilizar esta terminología, ni como psicóloga ni como madre cuando reflexiono acerca de cómo comprender y modificar las conductas de un niño.

Sin embargo, mi oposición al enfoque conductista termina aquí. En realidad, yo misma he propuesto algunos de sus principios, especialmente −sí, lo admito− después de haberme convertido en madre. Creo que la premisa conductista de recompensar la buena conducta, si se la combina con enfoques de corte más analítico para llegar a comprender las causas profundas de ciertas conductas particulares, puede resultar sumamente eficaz al momento de cosechar, en el corto y largo plazo, modificaciones espectaculares de la conducta.

Por cierto, los Planes de Recompensa no deben convertirse en modo alguno en la única herramienta de la que usted disponga para criar a su hijo. Los padres deben estar siempre atentos para descubrir cuándo un problema de conducta deviene de algún temor, daño, enojo o frustración que han permanecido ocultos. Nuestros hijos *necesitan* ser comprendidos. Pero hay momentos en los cuales

el amor, la empatía, y la comunicación abierta no operan por sí solos. Los niños pueden encontrarse atrapados en patrones de conducta que no logran romper, inclusive cuando sus sentimientos hayan sido comprendidos. A menudo necesitan de nuestra ayuda para motivarlos a abandonar conductas obstinadas que se encuentran profundamente arraigadas en ellos.

Si su hijo de 9 años siempre regresa de la escuela en un estado de irritabilidad y desdicha, que invariablemente termina en una batalla campal con su hermano menor, sería prudente que usted hablara con la maestra y averiguara si está sufriendo algún tipo de maltrato en la escuela; o si atraviesa problemas de aprendizaje de los cuales usted todavía no ha sido informada. También sería deseable que mantuviera con él una conversación amable para tratar de que le cuente lo que le sucede. Pero al mismo tiempo, para ayudarle a controlar su agresividad, mantener a su hermano a salvo, y establecer la paz en el hogar, el poner en marcha un Plan de Recompensas puede disminuir rápidamente las peleas. Es increíble lo que puede lograr un gráfico que registra los avances hacia los objetivos propuestos (por ejemplo, evitar las peleas durante una hora, una mañana, o un día).

No obstante, puede que usted se pregunte si las recompensas son *realmente* necesarias. Al fin y al cabo, ¿no es que mi hijo *quiere* ser bueno? Se trata de una pregunta interesante que debe ser explorada, aunque no sea más que para aumentar su comprensión y, por lo tanto, su paciencia, con la conducta de su hijo, que a menudo es, a todas luces, intolerable.

POR QUÉ LOS NIÑOS NO SE COMPORTAN CORRECTAMENTE

El deseo innato de su hijo por "ser bueno" se ve frecuentemente eclipsado por su fuerte instinto de ser independiente. Los padres de niños de dos años generalmente esperan y toleran las conductas que emanan de este impulso. Sin embargo, cuando los niños son mayores, nos resulta más difícil aceptar la rebelión y la aseveración que demuestran. Después de todo, ahora podemos razonar con ellos. ¿No deberían entender cuando les decimos: "Lo que tienes que hacer es esto?" Bueno, sí pueden comprenderlo hasta cierto punto, pero esto no hace desaparecer su impulso hacia la independencia. En realidad, éste crece a una velocidad tal que la lógica y los deseos que usted manifiesta simplemente pierden importancia. La postura del niño, casi inamovible, es "¡Yo quiero ser yo!".

Por supuesto, los niños también desean complacer a sus padres y ser amados por ellos. Afortunadamente, su hijo a menudo querrá amoldarse a sus deseos para complacerlo. Pero en otras ocasiones, el impulso hacia la independencia cobrará tanta fuerza que su hijo podría resistirse a hacer lo que usted le pide simplemente para lograr el control de la situación. "Yo decido lo que voy a hacer. Soy el capitán de mi propio barco", proclamará a través de sus conductas rebeldes.

Pero existen también otras razones por las cuales sus hijos podrían resistirse a comportarse como usted desea que lo hagan. Enfrentemos el hecho de que la buena conducta generalmente requiere de mayor esfuerzo que la mala. Limpiar una habitación no es tan divertido como ponerla patas arriba. La buena conducta también necesita que se controlen los impulsos. ¡Es mucho más excitante tomar cuatro galletas que dos!

Finalmente, lleva cierto tiempo hasta que los niños hayan adquirido suficiente experiencia de vida para darse cuenta de que la conducta positiva en realidad obtiene mayores ganancias que la conducta turbulenta o negativa. Resulta mucho más fácil suponer que las reglas impuestas por mamá son un fastidio absurdo. Pero una desenfrenada pasión por los caramelos puede disminuir después de que su hijo haya sufrido unas cuantas caries. De pronto, sólo para evitar una visita al dentista, le asaltarán unos enormes deseos por tomar el cepillo de dientes que ha estado ocioso en el botiquín. De manera gradual, su hijo aprenderá que sus expectativas respecto de él están basadas en razonamientos sólidos.

Tenga en cuenta que aquí me refiero a recompensas que usted no ofrece, sino que su hijo comienza a entender y a esforzarse por obtener motivado por su propio deseo de sentirse bien. Idealmente, esto es lo que ocurrirá una vez que usted haya implementado el Plan de Recompensas. En algunas ocasiones, a fin de que su hijo descubra las recompensas invisibles y automáticas inherentes a las conductas positivas, usted deberá crear un resultado feliz que él pueda imaginar fácilmente, previéndolo y eligiendo hacer lo necesario para conseguirlo. Llegado ese punto, las recompensas invisibles se convierten en algo similar a la cereza de la torta. Pasado algún tiempo, este tipo de recompensa pasa a ser la torta en sí misma.

En cuanto a que nuestros hijos capiteneen sus propios barcos, aprenderán que pueden hacerlo, pero ahora en aguas más tranquilas. Un Plan de Recompensas es un modo maravilloso de ayudar a su hijo a ver los beneficios de una conducta realmente positiva.

Veamos entonces cómo funciona el plan.

PRINCIPIOS DEL PLAN DE RECOMPENSAS

Primero, contemos una historia.

– Tomás, ¡por favor usa tu cuchillo y tenedor! – Mariana reprendió a su hijo de 7 años por enésima vez. – No vivimos en un establo.

Tomás asintió con la cabeza, tomó su tenedor, lo hincó en el centro de la pechuga de pollo, y se llevó todo el trozo a la boca. Mientras Mariana lo contemplaba casi hipnotizada, el niño primero tomó un bocado del lado derecho, y luego otro del lado izquierdo. El particular brillo de sus ojos ponía en evidencia que Tomás sabía que algo estaba mal, pero su propio sentido de lo listo que era le proporcionaba un deleite que le impedía detenerse.

Luego de un corto silencio (y de contenerse), Mariana sonrió y dijo: "Bueno, esto tiene que terminar". En realidad, había estado esperando que se presentara una ocasión como ésta.

Tomás esbozó una sonrisa y continuó comiendo con un estilo que evocaba tanto a Peter Pan como a Enrique VIII. Quizá tendría que detenerse, pero no ahora. Seguro que no.

– Sabes, Tomás, si no aprendes buenos modales, nadie va a querer sentarse a la mesa contigo. Ni yo, ni tu padre, ni tus amigos, y ni que hablar de sus padres – suspiró Mariana. – Se terminaron las invitaciones a cenar y pasar la noche en lo de tus amigos.

Mariana no estaba del todo segura de ello, pero le pareció que, de pronto, la sonrisa de Tomás se opacaba. Inmediatamente, su madre adoptó un tono más comprensivo.

– Tomás, yo sé que eres capaz de comer utilizando los cubiertos. Te he visto hacerlo. Me doy perfecta cuenta de que te parece una lata hacerlo cuando estás hambriento. Pero creo que te será más fácil con un poco de práctica. ¡Y la gente te verá como a un niño grande!

Tomás se encogió de hombros.

– No me importa – comentó. – ¿Qué importancia tiene?

Mariana se percató de que ahora estaba deslizando lo que quedaba de la pechuga dentro del plato y que toqueteaba el tenedor.

– Esto es lo que vamos a hacer – prosiguió Mariana.

Pasó a la otra habitación y regresó con un gráfico que representaba un calendario de colores brillantes que cubría un lapso de tres semanas (para obtener uno en blanco, ver la sección Separables [No. 1] al final del libro). En la parte superior había una foto de Tomás en la cena de Acción de Gracias, mirando la cámara con el tenedor en la mano.

– ¡Oiga! – Tomás soltó una risita sofocada. – ¿De dónde sacaste eso?

– Lo hice yo. La foto es de nuestro álbum familiar – respondió Mariana. – Entonces, cada noche que uses tus cubiertos, vamos a anotar una X en una de las casillas de este gráfico. Si te esfuerzas toda esta semana y llenamos el gráfico con siete X,

Comer con Cubiertos

	Sábado	Domingo	Lunes	Martes	Miércoles	Jueves	Viernes
Semana 1	X	X	X	X			Cenar afuera
Semana 2							Hornear galletas
Semana 3							Sundae

DISÉÑELO USTED MISMO

saldremos a cenar afuera el sábado. Tú eliges el restaurante. Si logras hacer lo mismo la segunda semana, tú y yo hornearemos juntos galletas como recompensa. ¡Y después de la tercera semana, te habrás ganado un sundae con todos los extras!

Cuando hubo escuchado la lista de recompensas, el rostro de Tomás se iluminó. Pero no iba a ceder tan fácilmente.

– ¿Todas las noches? – la desafió. – ¿Y qué pasa si comemos pizza?

Mariana asintió con la cabeza. – Por supuesto, tienes razón. Tendrás un descanso una vez por semana, cuando comamos pizza. Y para hacértelo más fácil, cada noche habrá algo en tu plato que puedas comer con las manos – Mariana rió. – Sé que tus dedos se sienten más felices cuando están pegajosos.

Tomás bajó la mirada hacia sus dedos, nada seguro de que estaba listo para sonreír.

Alegremente, Mariana colgó el gráfico junto a la mesa de la cocina.

A la noche siguiente, Tomás se sentó a cenar con cierta renuencia. Mariana, inteligentemente, había preparado un pan de carne con puré de papas, algo que se podía comer con toda comodidad utilizando sólo el tenedor. Se inscribió una X en el gráfico sin problemas. La noche siguiente, sirvió carne a la parrilla, para la cual era necesario utilizar cuchillo y tenedor. Tomás los manejaba con torpeza; aceptó la ayuda de su madre, serruchó la carne con exasperación, pero recibió otra X porque había realizado un esfuerzo considerable.

Cada noche, Tomás iba adquiriendo seguridad en el manejo de los utensilios, y hacia el fin de la semana se las compuso para cortar la carne de una pechuga de pollo idéntica a la que, la semana anterior, había comido como si fuera un malvavisco asado sostenido por un palillo.

El sábado, Tomás estaba indeciso entre varios restaurantes. Finalmente se decidió por uno temático que giraba alrededor de motivos cinematográficos y que ofrecía espejos deformantes y juegos electrónicos. Al concluir la segunda semana, su madre y él hornearon suficientes galletas como para convidar a todos sus compañeros de clase. Y cuando hubo transcurrido la tercera semana, Tomás tomaba el tenedor con la misma naturalidad con la que manejaba el control de sus videojuegos... pero no antes de terminar su banana split.

¡Y Mariana llegó a tener la sensación de que a Tomás comenzaba a disgustarle el tener los dedos pegajosos!

En la historia anterior, Mariana prestó mucha atención a los tres principios más importantes de cualquier Plan de Recompensas. Se comportó de manera
1. positiva
2. coherente, y
3. realista.

En consecuencia, Tomás estuvo rápidamente en condiciones de seguir el plan, comprobar los beneficios que le deparaba, y experimentar también la flexibilidad de su madre: un beneficio adicional para estimular la relación entre ambos. No tuvo que desperdiciar energía rehusándose firmemente a utilizar cuchillo y tenedor porque ella facilitó la cooperación mutua.

★ Sea Positivo ★

En estudios consecutivos, los psicólogos han demostrado que los estímulos positivos pueden ser sumamente efectivos para provocar modificaciones en las conductas. Y han demostrado claramente de qué manera una dieta estricta de críticas, comentarios negativos y castigos pueden tener un efecto grave sobre la autoestima del niño, haciendo que se cierre ante cualquier cosa que sus padres deseen transmitirle. Dicho de manera sencilla, los resultados positivos son mucho más inspiradores.

Dentro de un Plan de Recompensas, es sencillo para los padres desarrollar una estrategia que ponga énfasis en los aspectos positivos. Un plan de estas características permite que los padres opten por otorgar puntos o stickers por buen comportamiento o por clasificar negativamente las conductas indeseables. No obstante, el concentrarse sobre las conductas positivas proporciona amplios beneficios tanto a padres como a hijos. Mariana actuó de manera positiva al enfatizar su confianza en la habilidad de Tomás para utilizar los cubiertos. Hizo hincapié en los beneficios que comer "como los adultos" le reportarían a su hijo. Las recompensas que ofreció fueron lo suficientemente atractivas como para atraer el interés de Tomás. Y, durante todo el proceso ¡Mariana transmitió una sensación de placer inminente!

★ Sea Coherente ★

La coherencia en el refuerzo de las conductas apropiadas es crucial para el éxito de un Plan de Recompensas. Desarrollar un sistema que le recuerde a usted y a su hijo que deben ser coherentes es, en parte, de lo que se trata el Plan de Recompensas. Cuando usted se siente con su hijo a diseñar el plan y luego cuelga el gráfico de recompensas en lugar visible, ambos están desarrollando la motivación que los llevará a prestar suma atención a las conductas que necesitan ser modificadas.

Luego, su hijo seguirá adelante si está seguro de que usted registra lo que sucede y que va a mantener su parte del trato. De no ser así, su hijo perderá la motivación que lo impulsa a participar. Al fin y al cabo, todavía no ha experimentado los placeres invisibles a los que me referí anteriormente, y aquellos que se encuentren más cerca de su alcance le parecerán menos brillantes y de menor cuantía si no puede ver que la buena conducta rinde sus frutos.

Cada vez que Tomás utilizaba los cubiertos a la hora de cenar, Mariana religiosamente dibujaba una X en el día correspondiente. Sólo dudaba si él olvidaba el pacto y retomaba sus viejos hábitos. Si ello ocurría, Mariana le repetía las reglas. Y cada vez, al ver que su madre era coherente y "hablaba en serio", Tomás se concentraba más y más. Disfrutaba del placer que implicaba recibir una X cada vez que utilizaba sus utensilios correctamente. Las preciadas recompensas se acercaban cada vez más, y él sabía que no se detendrían mientras él continuara comiendo correctamente.

★ Sea Realista ★

El tercer principio crucial de cualquier Plan de Recompensas consiste en establecer objetivos realistas y alcanzables. El esperar una modificación demasiado grande en un plazo muy corto podría abrumar a su hijo y provocar una mayor cantidad de conductas negativas al ver que el objetivo se le escurre de entre los dedos. Debe asegurarse de que las metas de buena conducta establecidas por usted sean exigentes pero que estén encuadradas en parámetros posibles de modo que se puedan cumplir con éxito si su hijo aporta un grado razonable de esfuerzo.

Mariana fue muy realista. Concentró su atención sólo en el modo en el cual Tomás utilizaba los cubiertos, y no intentó cambiar otros malos hábitos. Aunque la conducta de Tomás se vería beneficiada por modificaciones en otras áreas, Mariana reconoció que su hijo debía enfrentarse a un reto por vez. Para un niño de 7 años, el manejo triunfante de los cubiertos era un esfuerzo suficiente. Tyler podía pensar en las recompensas porque, en verdad, la conducta a producir era factible.

Y después, por supuesto, logró la meta final. El objetivo invisible. Tomás llegó a descubrir que disfrutaba la sensación de unos dedos libres de sustancias pegajosas.

Ahora bien, los tres principios de positivismo, coherencia y realismo vienen en línea directa del conductismo. Pero creo que existen dos principios adicionales que, si se toman en cuenta, pueden asegurar el éxito y la diversión del Plan de Recompensas. Veamos entonces la importancia de ser *amoroso* y *creativo*.

★ Sea Amoroso ★

He dicho anteriormente que me separo del conductismo estricto porque creo que no le presta atención a la vida interior de las personas. Desde el punto de vista emocional, ¿qué le ocurre a quien trae a la superficie una conducta en particular? Muchos de los Planes de Recompensas incluidos en este libro no están dirigidos a conductas que implican graves cuestiones de infelicidad, frustración o angustia subyacentes. Tomás, por ejemplo, era simplemente un niño de 7 años cuya voracidad le impedía ver el sentido de realizar la ardua tarea de cortar la carne con cuchillo y tenedor. Sin embargo, experimentaba sensaciones acerca del paso hacia la conducta más civilizada que se le estaba pidiendo. Su madre le brindó comprensión y apoyo para el esfuerzo necesario a fin de aprender a manejar los utensilios.

Por supuesto, existen ocasiones en las cuales una determinada conducta indica que algo mucho más serio podría estar ocurriéndole al niño. Si usted observa conductas negativas tales como agresividad, dependencia excesiva, tarea escolar incompleta, grosería, y problemas a la hora de irse a dormir, hable con su hijo acerca de sus pensamientos y sentimientos *antes* de implementar un Plan de Recompensas.

Si Tomás hubiera comenzado a enfrentar a su madre cada vez que ella sugería algún cambio en su conducta, ella habría querido averiguar qué cosa provocaba tanta rebeldía. ¿Por qué habría de pelear con su madre acerca de sentarse a la mesa a la hora indicada, ponerse a hacer la tarea escolar, o inclusive concurrir a un restaurante? Encarar los problemas subyacentes es crucial no sólo para mejorar la salud física y psíquica de su hijo, sino también como un paso preliminar para ayudarlo a volver a la línea recta, con la asistencia de un Plan de Recompensas.

★ Sea Creativo ★

Una vez que ha logrado interesar a su hijo ofreciéndole una recompensa, puede proponer extras que agregarán entusiasmo a su plan y reforzarán la lección que desea enseñar. Mariana, por ejemplo, utilizó su creatividad agregando al gráfico una foto donde Tomás utilizaba un tenedor en la cena de Acción de Gracias. Las fotos contribuyen a que sus hijos sientan que ese plan es "para ellos". Y luego de haber motivado a su hijo, puede enseñar y reforzar nuevas conductas, por ejemplo, introduciendo juegos de roles. A medida que vaya avanzando por este libro, encontrará montones de estrategias creativas para ayudar a los niños a aprender y dominar nuevas conductas.

SACANDO A LUZ NUEVAS CONDUCTAS

La historia de Mariana y Tomás constituye un ejemplo bien sencillo del modo de funcionamiento de un Plan de Recompensas. Pero a menudo las cosas resultan más complicadas. Por ejemplo, cuando la conducta que usted está tratando de modificar ocurre fuera del hogar o involucra a personas que no son parte de la familia. En esos casos tendrá que vérselas con muchos más efectos de distracciones, y tal vez las recompensas tengan que demorarse un poco más.

Veamos un problema compartido por muchos padres que necesitan llevar a sus hijos a realizar la compra semanal en el almacén.

Rogelio, el papá de Isabel, no tenía salida. Necesitaba ir al almacén por la compra semanal, y tenía que llevarla consigo. Esto era una fija. Lamentablemente, también lo eran los arranques de histrionismo de Isabel. Comenzaban en la primera góndola, donde pedía galletas con un quejido punzante. Si no obtenía una dentro del minuto, su voz subía unos cuantos decibeles y comenzaban los editoriales.

– Quiero una galleta – anunciaba, como si nadie se hubiera enterado. – Odio este lugar. Huele mal. En ocasiones, agregaba efectos de sonido.

– ¡Ooouuuch!

– Vamos, vamos – decía Rogelio – lo haremos rápido. En un abrir y cerrar de ojos.

No le ofrecía nada. En otros momentos, simplemente ignoraba su conducta. Luego venía la amenaza de privarla de la televisión. Muchas veces, durante las excursiones de compras, Isabel terminaba por aferrar firmemente las cajas de galletas que deseaba, pero los quejidos no cesaban. Para cuando habían salido de la tienda, Rogelio e Isabel se sentían exhaustos e irritables. Él prometía: – Esta es la última vez. Lo cual duraba exactamente hasta la semana siguiente, cuando se habían agotado las provisiones.

¿Qué sucede aquí, además del hecho evidente de que Isabel repetidamente arma un escándalo intolerable cuando ella y su padre hacen su viaje semanal al almacén? Bueno, la respuesta comprende varias cuestiones:

- Rogelio todavía no ha pensado de antemano en un plan que provoque cambios tanto en su propia conducta como en la de Isabel.
- Reacciona de manera incoherente.

- La mayoría de las cosas que hace son negativas. Al ignorarla, amenazarla, e inclusive "contentarla" con la caja de galletas, evidencia las señales de su enojo o frustración.
- Al ceder, Rogelio esencialmente recompensa los gemidos de Isabel y su conducta turbulenta. ¡Si lo que Isabel quería era atención, vaya si la consiguió!

Lo primero que Rogelio debe hacer es decidir exactamente qué conductas se propone modificar y cómo hará para que ello suceda. Es esencial introducir una actitud positiva, coherente y realista en la situación. Decide que querría lograr dos objetivos:

1. Isabel tiene que cesar de gemir. Debe hablar normal y respetuosamente cuando se dirige a él y a otros.
2. Isabel necesita entretenerse por sus propios medios. Debe percatarse de que este momento no le pertenece. Si lo hace, puede acceder al privilegio de pedir que le compren dos cosas.

Dándose cuenta de que, a los ojos de Isabel, la salida de compras es una excursión interminable, Rogelio inicia una lluvia de ideas acerca de cómo hacer para que ese tiempo – aproximadamente una hora – le sea más llevadero. Desarrolla un plan eficaz, al cual se puede ajustar, y que no demanda más que lo que Isabel está dispuesta a dar.

★ Papá Se Vuelve Positivo ★

Rogelio le dice a Isabel que él sabe que las salidas de compras no le resultan divertidas, pero que cree tener un plan para hacerlas más interesantes. No menciona la mala conducta. Lo que hace es ofrecer empatía: – ¡Las compras te resultan tan aburridas! – reconoce, con expresión sentida. También le dice que sabe lo buena que es ella actuando como una niña mayor, y enseguida juega a que ella diga lo mismo, primero como una pequeñita, y luego como una niña mayor. Isabel disfruta al jactarse de conocer la diferencia.

★ Papá Se Vuelve Coherente ★

Rogelio decide dividir la recorrida por el almacén por góndola y recompensar a Isabel con un Ticket *(ver la sección Gráficos Separables [No. 17])* al final del libro) luego de que haya recorrido la góndola hasta el final sin quejarse. Si luego de haber pasado por cinco góndolas ha ganado cuatro tickets, puede pedir la caja de galletas que le apetezca. Al final de diez góndolas, si ha ganado otros cuatro tickets, puede volver a elegir. Rogelio le da una bolsita con tickets (una bolsita donde Isabel puede guardar sus tickets). Le da tiempo extra para que periódicamente Isabel pueda detenerse un instante a contar sus tickets. Rogelio cumple rigurosamente con su promesa de darle un ticket cada vez que Isabel se lo gana.

★ Papá Se Vuelve Realista ★

Rogelio también dedica su atención a estrategias para evitar el aburrimiento. Le explica a Isabel que "es difícil hacer cosas que a uno no le gustan realmente, por lo cual es una gran idea pensar en algo que la haga feliz". Primero sugiere que lleve un libro de cuentos, pero Isabel decide tomar su muñeca favorita y discutir con ella la lista de las compras. (A Isabel le está permitido quejarse a su muñeca, ¡pero en voz baja!)

El resultado es positivo. Isabel se encuentra motivada para modificar sus conductas. Mediante algún recordatorio ocasional y el ánimo que le da su padre, Isabel gana los ocho tickets que necesita para acceder a ambas recompensas. Durante el proceso, aprende algunas estrategias para entretenerse sola que le será útil por el resto de su vida. Al cabo de la tercera salida, Isabel ha ganado diez tickets. Aunque no hay recompensa extra por haber ganado todos los tickets que estaban en juego, Isabel comienza a enorgullecerse de su madurez y autocontrol.

Alrededor de un mes más tarde, se ha aburrido del sistema, y algunas de sus antiguas conductas reaparecen, aunque bajo formas diferentes. Rogelio cambia la recompensa: le sugiere que un juego de cartas llamado "Ir de pesca" sería una buena recompensa por buena conducta al llegar a casa. Este es el juego favorito de Isabel. Sus conductas fastidiosas se esfuman y, pasadas unas semanas, Isabel olvida pedir el juego. Simplemente va a la tienda con la muñeca a la zaga, y ahora sabe desde el principio cuáles son las dos cosas que va a pedir que su papá le compre.

UNA PALABRA ACERCA DEL ELOGIO

Un Plan de Recompensas exitoso no debe basarse sólo en la entrega de recompensas tales como stickers, actividades, u objetos deseados. El elogio de parentela ante la buena conducta constituye una parte poderosa de un plan de conducta. Una mirada apreciativa combinada con elogios generosos se convierten en una fuerza que contribuirá a que las modificaciones de la conducta se mantengan después de que haya pasado la excitación provocada por otro tipo de recompensas.

El hecho es que, en gran medida, el niño forma su imagen de sí mismo a través de su percepción de cómo es visto por sus padres. Un niño que encuentra seguridad en esta imagen tiende a comportarse bien, puesto que no sólo prevé que tendrá éxito cuando se proponga ser bueno, sino que también espera la aprobación inequívoca de los otros a modo de incentivo.

Naturalmente, al elogiar a su hijo, usted debe estar seguro de que lo que dice es creíble. La exageración puede resultar contraproducente si, por ejemplo, dice algo como: "¡Guau! ¡Eres el mejor hermano del mundo!" – en respuesta a que el niño logró abstenerse un día de golpear a su hermana. A partir de ahí, no queda espacio para avanzar y, además, un comentario de este tipo transmite un mensaje erróneo. Ser el mejor de los hermanos requiere de mucho más que poder contenerse.

Sin embargo, a pesar del poder que conlleva el elogio, existen dos grupos de niños para quienes no resulta útil. En primer término, algunos niños experimentan una fuerte necesidad de oponerse a los deseos de sus padres simplemente porque sienten que deben establecer que poseen voluntad propia. En estos casos, lo

mejor suele ser marcar los días del Plan de Recompensas, sin comentarios, de la manera en que hayan sido acordados en su momento, y luego darles su recompensa, diciendo "Te felicito" sin énfasis alguno. En otras palabras, usted tendrá que restarle importancia al hecho de que el plan funcionó y de que su hijo hizo lo que usted deseaba.

El segundo grupo para el cual el elogio es problemático comprende a los niños que tienen una imagen pesimista o negativa de sí mismos. Si su hijo se percibe como tonto o falto de talento, podría tomar el elogio como falso, dicho sólo para darle ánimo. Con niños de estas características, lo aconsejable es hacer comentarios específicos y relacionados con una instancia concreta. "Veo que esta semana no te has atrasado con tu tarea. Eso significa cinco estrellas consecutivas. ¡Muy bien!". También alcanzará con alentarlo con una frase como "Me alegra que no hayas cejado. Espero que tú también te sientas bien por haber persistido". Con el transcurso del tiempo, a medida que el niño vaya acumulando logros, probablemente se sentirá mejor dispuesto a aceptar el elogio. En ese momento, puede que piense que realmente lo merece.

CONFIGURACIÓN: UN ENFOQUE PARTICULAR

A veces, la conducta que usted busca modificar es tan habitual (por ejemplo, pasarse a la cama de los padres a mitad de la noche) o tan generalizada (como una actitud permanente de desagrado para con un hermano menor) que es imposible ir de la A a la Z en línea recta. Al usar la técnica de la configuración, lo que se recompensa es una sucesión de conductas que van acercándose cada vez más a la conducta deseada.

En realidad, B. F. Skinner realizó algunos trabajos interesantes partiendo de este enfoque. Descubrió que era posible enseñar a las palomas a picotear un disco ubicado contra una de las paredes de la jaula si se las recompensaba cada vez que se acercaban al disco durante un período de picoteos al azar. Luego, cuando comenzaban a acercarse al disco con la intención de alcanzarlo, ya no eran recompensadas por picotear lejos de él, sino sólo cuando se acercaban más. Finalmente, las palomas sólo obtenían su recompensa cuando realmente picoteaban el disco.

Por cierto, sus hijos no son aves, y tienen muchas más cosas en la mente que las palomas de Skinner. Usted debe asegurarse de que el niño que se pasa a su cama no lo hace porque se siente atemorizado, o porque algo sucede entre él y uno de sus hermanos, en cuyo caso es necesario otro tipo de estudio y de intervención. A menudo, conductas más complejas y, por ende, más difíciles de erradicar, requieren de un enfoque multifacético. Sin embargo, suponiendo que usted ya ha observado con cierta empatía lo que sucede a su alrededor, y la conducta a modificar persiste, la configuración le proporciona una buena herramienta para su propósito.

Por ejemplo, si usted desea alentar a su hija a tratar mejor a su hermano, puede comenzar por recompensar cualquier conducta, inclusive si es accidental, que pudiera interpretarse como bondadosa. Tal vez su hija no desee compartir un determinado juguete con su hermano, pero le ofrezca otro menos deseable, y él lo acepte. Usted puede decir: "¡Qué bien! ¡Qué bueno que le diste ese juguete a tu hermano! Mira cuánto le gusta".

Aunque el elogio está lejos de ser merecido, lo más probable es que su hija lo acepte, gozando así de la oportunidad de recibir el tipo de atención que recibiría si en verdad fuera amable con su hermano. Con este aliciente, su hija puede llegar a mostrar mayor benevolencia, y usted podrá ser más selectivo respecto de las conductas que merecen ser recompensadas.

La configuración también resulta sumamente útil al momento de enseñar buenos modales. Es posible que su hijo de 8 años acostumbre terminar de comer, separar su silla de la mesa e irse sin decir una palabra. Si su objetivo final es que su hijo pregunte: "¿Puedo levantarme de la mesa?" – antes de retirarse, puede comenzar por recompensarlo por decir "¿Puedo irme ya?" – o "Me voy, ¿sí?". El primer paso consiste en que su hijo recuerde y acepte la idea de que debe decir algo antes de retirarse de la mesa. Más adelante, luego de que la idea de decir una frase cortés se haya afianzado, y su hijo disfrute de la recompensa que ello le trae, podría mostrar mayor inclinación por recordar cuál es la manera más civilizada de pedir permiso para retirarse.

EL RECURSO AL CASTIGO: SI HACERLO, CUÁNDO Y CÓMO

Hay un último punto del Plan de Recompensas que apenas si he mencionado, principalmente porque lo veo como algo a lo que recurrir sólo si es necesario. Volvamos a B. F. Skinner. Sus observaciones registraron que el refuerzo positivo era sumamente eficaz para la modificación de las conductas, y su postura filosófica sostenía que era más probable que las personas eligieran el camino acertado si lo que las esperaba al final era una recompensa y no el temor al castigo.

En términos aproximados, los niños encuentran mayor energía para hacer lo que usted desea si el hacerlo trae aparejado un resultado positivo (una recompensa). A menudo, el castigo como respuesta cuando no hacen lo que se espera de ellos sólo tiene un efecto disuasivo, e inclusive puede llegar a generar otras conductas problemáticas producto del resentimiento y de la frustración. Y por cierto no ayuda en lo más mínimo a aumentar la autoestima.

No obstante, la investigación ha demostrado que la inclusión de consecuencias negativas leves junto con incentivos positivos puede contribuir a modificar las conductas con mayor rapidez. Esto tiene su importancia cuando los niños hacen cosas que los ponen en peligro o que dañan a terceros. Por otra parte, si sólo se trata de una tarea hogareña que no fue hecha, o de no haber practicado la lección de piano, sería conveniente que usted esperara y evaluara si las recompensas constituyen un aliciente suficiente para que se produzca el cambio. Además, el poner mayor énfasis en las recompensas y no en las consecuencias infundirán un espíritu de buena voluntad en el Plan de Recompensas.

Gráfico de Seguimiento

Carmen, la mamá de Clara, quería que su hija dejara de tirarle de la cola al gato y de estrujarlo tan fuerte que lo lastimaba. Pero Clara siempre lo olvidaba. Carmen le ofreció la oportunidad de ganar puntos si acariciaba al gato con suavidad, y si Clara ganaba suficientes puntos en dos semanas, su madre las llevaría a ella y a una amiga al cine. Pero si Clara le hacía daño al gato, recibiría un Talón con la leyenda "¡Me equivoqué!" (ver la sección Gráficos Separables [No. 18] al final del libro). Por cada Talón de Error, Clara perdería media hora de mirar televisión por la noche. Mamá le dijo alentadoramente: "Apuesto a que puedes aprender a tratar al gato con suavidad para poder ver tus programas de tele, y dentro de dos semanas iremos al cine".

Un plan que incorpora castigos puede diseñarse de dos maneras. Primero, usted puede pensar un plan en el cual las recompensas giren alrededor de marcas, puntos, tickets o estrellas y que restrinja el número de marcas negativas.

Era necesario que María dejara de empujar a Nina, su hermana menor. Susana, la madre de ambas, eligió el gráfico de Seguimiento (para tomar uno en blanco, ver la sección Gráficos Separables [No. 2] al final del libro). Le dijo a María que recibiría una marca positiva por día durante un período de dos semanas cada vez que se dirigiera a Nina con palabras y no con empellones, y una marca negativa cada día que lo olvidara y empujara a su hermana. Si María ganaba un mínimo de 11 marcas positivas, podría invitar a tres amiguitas a quedarse a dormir. Pero si obtenía más de tres marcas negativas, no se haría acreedora al derecho de invitarlas esta vez. (También hay que tener en cuenta que si María perdía, probablemente iba a necesitar el apoyo y el estímulo de su madre para que en el próximo intento la meta fuera alcanzable. Quizá Susana necesitaría dedicar algún tiempo para conversar con María acerca del resentimiento que ésta experimentaba hacia su hermana. (También podría ayudar a María a idear estrategias para contrarrestar el impulso de empujar a Nina).

La segunda manera de incorporar castigos a un Plan de Recompensas consiste en hacer corresponder puntos en dos hileras o columnas, una de las cuales marca los pasos hacia una recompensa y la otra indica que su hijo se dirige hacia un castigo. Catorce stickers equivaldrían, por ejemplo, a que su hijo pueda hornear una torta. Cada tres marcas negativas lo ponen "en el banco". Mediante este enfoque, su hijo adquiere la seguridad de que obtendrá su recompensa si se esfuerza un poco. Este método – incorporar una penalidad – puede ser la mejor elección si usted piensa que su hijo se molestará mucho en caso de fracasar la primera vez que el plan se pone en práctica. "Mandarlo al banco" (u otros castigos, como no ver un programa de televisión o tener que realizar una tarea doméstica extra) equivale a interponer, en el camino hacia la recompensa, una advertencia para que la mala conducta cese. Tomando en cuenta la edad y personalidad de su hijo, usted puede elegir entre el gráfico de Seguimiento o el de Diséñelo Usted Mismo para llevar cuenta de los puntos a favor y los puntos en contra. La Parte III, p.102 trae una ilustración del segundo tipo de gráfico utilizado para este propósito.

- Si usted decide optar por la combinación de recompensas y castigos, quiero hacer hincapié en que es necesario mantener una actitud tan positiva y comprensiva como sea posible. Asimismo, estar atento a las recompensas en vez de cargar el peso sobre los castigos infundirá un espíritu de buena voluntad al Plan de Recompensas. Aquí van algunas sugerencias:

- Cuando diseñe un gráfico con columnas para marcas positivas y negativas, podría titular cada columna con algo como "¡Bien hecho!" y "¡Uuy!". Esta última expresión indica que usted comprende que fue un estropicio y que su hijo puede hacerlo mejor.
- Tenga cuidado con la dimensión del castigo por comportarse mal. Aunque usted desea que su hijo perciba una marca negativa como un pequeño retroceso, ciertamente no quiere que pierda las esperanzas ni la inspiración para mejorar.
- Por otra parte, tal vez tenga que establecer un límite para el número de errores admitidos dentro de cada período de tiempo. Los niños no deben sentir que pueden hacer lo incorrecto un sinnúmero de veces porque, finalmente, igual terminarán ganando el número necesario de marcas positivas.
- Cuando tenga que poner una marca negativa, recuerde decir a su hijo que lamenta que no haya hecho bien las cosas, pero que usted confía que la próxima vez las hará mejor.
- Si el obtener una marca negativa es una fuente importante de perturbación para su hijo, no se esfuerce por explicarle, una vez más, la razón por la cual esta conducta en particular tiene que modificarse. Muéstrese comprensivo, diciendo algo como "Sé que te molesta equivocarte. Pero la cuestión es que puedes compensarlo la próxima vez". Luego, cuando su hijo se haya calmado, háblele sobre lo que ocurrió, por qué no hizo lo correcto, y cómo evitarlo en la próxima ocasión.

Para encontrar otras maneras creativas y atractivas de seguimiento de conductas positivas y negativas, busque los gráficos "Bolsillos para Puntos" y "La Laguna Azul" en la sección de Gráficos Separables Nos.10 y 11 al final del libro (Estos gráficos se explican más detalladamente en la Parte III).

Usted acaba de ver cómo este plan puede contribuir a modificar las conductas. Hay una recompensa en juego. El proceso involucrado en el trabajo que conduce a ella implica la necesidad de aprender conductas nuevas. Se espera que, una vez que la recompensa ha sido obtenida, estos nuevos patrones de mejores conductas se hayan arraigado. Pero hay también varios otros beneficios, menos obvios. Me he referido a ellos anteriormente como "las recompensas invisibles". Llegan con el territorio y son aquellas donde se apoya la permanencia de estas modificaciones de las conductas.

MAS ALLÁ DE LA MODIFICACIÓN DE LAS CONDUCTAS: LAS RECOMPENSAS INVISIBLES DEL PLAN DE RECOMPENSAS

Si bien es cierto que conseguir que un niño se cepille los dientes correctamente, o que vaya de compras sin protestar, o que haga sus tareas, o que sea cortés constituyen logros importantes en sí mismos, el uso de un Plan de Recompensas agrega algunos beneficios adicionales. Como resultado de los éxitos alcanzados, su hijo madurará naturalmente, y las relaciones entre ustedes se traducirán en interacciones agradables y confiadas en vez de intercambios regidos por el enojo. ¡Y así todos ganan! Fíjese cómo ello ocurre:

- La autoestima de su hijo aumenta. Cuando los padres prestan atención al buen comportamiento de sus hijos en lugar de concentrarse en las conductas indeseables, los niños se sienten mejor consigo mismos. Perciben que son apreciados, y suponen que existe una buena razón para ello: ¡Son fantásticos! La sensación de logro que experimentan al ver cómo se alarga la hilera de estrellas, o cómo se acumulan los tickets, o cómo las marcas positivas desbordan del gráfico es palpable. La imagen que tienen de sí mismos se agranda un poquito más con cada nueva marca de reconocimiento por una tarea bien hecha.
- Los niños pueden ejercitar su necesidad de independencia. ¿Recuerdan la búsqueda de la propia independencia? El Plan de Recompensas ofrece a su hijo la oportunidad de elegir. Usted no lo obliga a hacer nada. Su hijo, sólo para sentir que posee individualidad propia, no tiene que luchar contra las exigencias (no tan irrazonables, por otra parte) que usted le plantea. Lo que usted dice es: "Mira, sé que tú eres tú y que puedes tomar tus propias decisiones. Puedes tener lo que quieres, pero estas son las condiciones. Puedes aceptarlas o no. Es tu decisión". Por supuesto, en última instancia, es usted quien tiene el control, pero una vez que ha implementado un Plan de Recompensas, no son sus propios deseos los que ocupan el centro de la escena. Son los de su hijo, y así lo sentirá él. Ahora, libre de los grilletes que lo encadenaban mientras usted no cesaba de darle órdenes ("Haz esto", "haz lo otro"), el niño queda librado a las decisiones que tome por sí mismo.
- Es posible disfrutar más de la interacción con sus

hijos. Cuando los niños se encuentran atrapados en patrones de conducta insatisfactorios, suelen atrapar a sus padres en la misma actitud. Las conductas insatisfactorias suelen engendrar conductas del mismo tipo. ¿Cuándo fue la última ocasión en que su hijo, por enésima vez, se expresó groseramente o soltó un exabrupto, y usted, con paciente sonrisa, dijo: "Oh, veo que no estás muy contento"? Lo más probable es que usted le haya hablado con brusquedad, o lo haya criticado, amenazado, o lo haya privado de su afecto. En ese momento su hijo también se apartó bruscamente, y se quedó rumiando en el silencio de su habitación. Cuando se volvieron a cruzar, se produjo una tregua incómoda, seguida de algunos momentos agradables si hubo buena suerte, hasta la próxima ocasión en que a su hijo se le ocurrió poner en acto el comportamiento que usted no tolera. Y así se reproduce el ciclo, una y otra vez. ¿No sería agradable ponerle fin?

- Usted facilita que su hijo visualice los placeres de esforzarse por alcanzar una meta. "¡Mira lo que puedo hacer!", pensará el niño, lleno de orgullo al contemplar lo bien que se siente cuando se trabaja para lograr un propósito.

A los nueve años, Daniel solía arrastrar los pies mientras se preparaba para ir a la escuela en la mañana. Se olvidaba de guardar el sobrecito de leche, dejaba su cama sin tender, y perdía sus tareas escolares. Finalmente, su padre, Jesús (no había una mamá en este hogar) sugirió hacer una lista de lo que era necesario durante la mañana y llevar la cuenta utilizando un Chequeo Diario (para tomar una en blanco, ver la sección Gráficos Separables [No. 3] al final de libro). Daniel había estado pidiendo que rentaran un juego de computación los fines de semana, y Jesús decidió que si Daniel era capaz de completar la planilla por lo menos durante cuatro mañanas cada semana antes de las 7.30 a.m., se habría ganado el juego. Daniel contribuyó con una idea: quería que la planilla reflejara quién estaba listo primero, su padre o él. A lo largo de los días siguientes, Daniel aprendió a calcular sus tiempos (él tampoco se sentía feliz con los apurones de último momento). Se sintió orgulloso del modo en que había logrado cumplir con sus obligaciones (mostró la planilla a sus amigos) y disfrutó intercambiando ideas acerca de qué juego él y su padre iban a rentar, sabiendo que lo tendría si perseveraba. Daniel aprendió que era emocionante ver cómo la meta deseada se acercaba cada vez más.

Es de esperar que, a esta altura, hayan quedado claros los principios que subyacen a un Plan de Recompensas. Usted ya se encuentra en condiciones de ver cómo funciona el Plan y cuántas ventajas proporciona. Sin embargo, es posible que todavía ronde por su cabeza la poco tranquilizadora sensación de que simplemente se está moviendo subrepticiamente alrededor del concepto de soborno, cuando no siente que cae en ello sin rodeos. Pues no es así. Ha llegado el momento de explorar las diferencias.

¿SOBORNO O RECOMPENSA?
UNA DIFERENCIACIÓN FUNDAMENTAL

Es fácil caer en la sospecha de que un Plan de Recompensas no es más que un modo sofisticado de sobornar a un niño para que se comporte correctamente. Para ser justos, la distribución de recompensas puede aproximarse al soborno. Un plan mal implementado —en el cual, por ejemplo, un niño es recompensado por hacer una escena en público, y sus atribulados padres le ofrecen una recompensa como una salida rápida— no le enseñará al niño mucho más que la manera de lograr que papá o mamá le den lo que apetece. En otras palabras, lo que determina si lo que usted está ofreciendo es un soborno o una recompensa radica en el modo en que usted lleve adelante el plan; en el modo en que lo establezca y lo sostenga coherentemente.

No estaría mal detenernos un momento en este punto y reflexionar acerca de lo malo del soborno. Por instinto, todos sabemos que se trata de un acto deshonesto, pero si lo analizamos con mayor detalle, creo que las diferencias entre un Plan de Recompensas y un soborno emergerán con toda claridad.

DE CÓMO EL SOBORNO ADQUIRIÓ SU MAL NOMBRE

¿Qué dice el *American Heritage Dictionary* acerca del término *soborno*?

1. Soborno es cualquier cosa, ya se trate de dinero, propiedades, o favores, ofrecidos o dados a alguien que ocupa un puesto de responsabilidad para inducirlo a una acción deshonesta.
2. Un soborno es también algo que se ofrece o que sirve para persuadir o influir sobre alguien.

Sospecho que la primera definición es la que viene primero a la mente de los padres, influyendo profundamente sobre su reacción a un plan con base en la modificación de las conductas. Temen estar comportándose de manera deshonesta si no enseñan a sus hijos las ventajas inherentes de la buena conducta per se. En realidad, suponen acertadamente que podrían estar alentando a sus niños a adoptar un punto de vista cínico, desde el cual sólo vale la pena conducirse correctamente sólo si "hay algo para mí". Más específicamente, a los padres les preocupa que el uso de recompensas induzca a sus hijos a:

- adquirir un cúmulo de poder que no corresponde
- exigir presentes cada vez que hacen algo bien
- carecer de motivación para perseguir metas o para aprender cosas que demanden esfuerzo no recompensado
- pasar por alto el aprendizaje de los beneficios de la buena conducta en el camino que culmina en una recompensa
- perder la oportunidad de experimentar sensaciones de orgullo después de un trabajo bien hecho porque lo que los ha motivado ha sido la recompensa y no el objetivo en sí mismo
- no desarrollar la firmeza de carácter que les permitirá afrontar situaciones difíciles en el futuro, y
- comenzar a ver a los padres como dispensadores de presentes y no como a personas de quienes pueden aprender sensatez y a quienes pueden recurrir cuando necesitan consejo.

Estos temores, ¿son todos razonables?. No vaya a ser que sí. Pero un Plan de Recompensas bien llevado ayudará a los niños a comprender y valorar las razones que se esconden detrás de las conductas que usted busca alentar. Aunque al principio su hijo se concentre en las recompensas y en una sensación de control que experimenta por primera vez, a medida que pasa el tiempo, las novedosas experiencias del éxito obtenido y de haber desarrollado habilidades para resolver problemas ganarán en importancia.

El hecho es que las recompensas sólo proporcionan un incentivo temporal para que los niños prueben nuevos estilos de conducta. El objetivo de un buen plan consiste en infundir en el niño el deseo de utilizar las conductas deseadas. Sin embargo, este deseo sólo podrá desarrollarse cuando los niños experimenten el placer de hacer lo correcto – un placer que, hasta entonces, les era desconocido. Al inspirar este deseo, un buen Plan de Recompensas se aleja de los oscuros callejones del soborno y penetra en los campos soleados de beneficios jamás soñados.

Existen muchas maneras de evitar los aspectos negativos del soborno cuando se utiliza un Plan de Recompensas:

- Nunca introduzca un Plan de Recompensas inmediatamente después de una mala conducta. Si se ofrece una recompensa a un niño precisamente cuando acaba de comportarse mal, lo que terminará por aprender es que la mala conducta es recompensada.
- Una vez que usted ha diseñado un Plan de Recompensas y lo ha acordado con su hijo, debe atenerse a él salvo circunstancias graves. En el instante mismo en que usted permita a su hijo disminuir las exigencias o aumentar la recompensa de manera significativa, o apurar los tiempos, estará cruzando la delgada línea que separa a la recompensa del soborno. Si usted accede a cambiar un plan cediendo a la presión que su hijo ejerce para facilitarse las cosas, él aprenderá que puede salirse con la suya desgastando su resistencia. (Por supuesto, es siempre prerrogativa de los padres revisar un plan a partir de su buen juicio y experiencia. Si usted nota que las metas que se ha propuesto no son realistas y se percata de que su hijo puede perder las esperanzas de alcanzarlas, se justifica perfectamente que altere el plan).
- No ceda ante exigencias estrafalarias. Plántese con firmeza respecto de las recompensas apropiadas. Deben ser pequeñas pero atractivas, puesto que la idea es que el niño debe buscar alguna motivación propia adentrándose en su propio ser. La recompensa actúa como un impulso adicional, pero nada más. Si usted promete el Taj Mahal (o el Play

Station II), su hijo carecerá tanto del tiempo como de la inclinación de ponerse en contacto con su propio deseo de hacer las cosas bien.

RECOMPENSAS: TODO LO QUE PUEDEN SER

Una de las claves para que las recompensas sean simplemente recompensas y no se transformen en sobornos consiste en ofrecerlas cuando el niño se ha adueñado de su habilidad y deseo de tomar las riendas de su conducta para su propio beneficio. A continuación, algunas sugerencias para ayudarlo a asegurarse de que su enfoque y sentido de la oportunidad funcionan adecuadamente:

- Espere a que las cosas se calmen. No ofrezca una recompensa en pleno brote histérico. Introduzca un enfoque cuidadosamente encaminado hacia la resolución de problemas cuando su frustración haya alcanzado un umbral bajo y su hijo esté en disposición de "escucharlo" y comprender el plan.

Durante la semana anterior, Emilia, de diez años de edad, apenas si había dedicado más de 5 minutos por día a su práctica de flauta. Y a pesar de los regaños de Blanca, su madre, en los últimos tiempos la ley del mínimo esfuerzo se había convertido en la norma. Para el viernes, Blanca había decidido que era hora de que Emilia tomara conciencia de que debía tomar la práctica del instrumento seriamente, o Blanca dejaría de pagar por las lecciones. Aunque su madre sabía que Emilia poseía talento para la música y que se enorgullecía de su habilidad con la flauta, su vida social se estaba interponiendo con las horas que debía dedicar a practicar. Blanca decidió abordar el problema en la mañana del sábado.

Sin embargo, cuando Emilia regresó a casa después de haber pasado la noche en lo de una amiga, era evidente que estaba cansada e irritable. Su madre decidió aguardar otra ocasión.

El domingo, luego de que Emilia hubo gozado de un sueño reparador, Blanca dijo: "He estado pensando cómo van tus prácticas de flauta. Te he regañado mucho, pero no parece haber ayudado a que encuentres el tiempo para dedicarle. Me pregunto si todavía te interesa continuar con las lecciones de flauta".

Las lágrimas acumuladas en los ojos de Emilia le proporcionaron la respuesta. "Bueno,

estaré encantada de que las sigas tomando, pero creo que tenemos que encontrar un modo de que te hagas más tiempo para practicar. ¿Qué te parece si juntas organizamos un plan de modo tal que yo no tenga que estar encima de ti todo el tiempo, y tú tengas los 20 o 30 minutos de práctica diaria que tu profesora indica?"

"Supongo que estaría bien", dijo Emilia cautelosamente. No estaba segura de lo que se proponía su madre, y también la preocupaba el poder cumplir con el plan.

Blanca continuó: "Sé que quieres un vestido nuevo para el recital de flauta. Te lo compraré con gusto si te pones en forma con tus prácticas". Entonces Blanca indujo a Emilia a diseñar un gráfico de Seguimiento (para tomar uno en blanco, ver la sección Gráficos Separables [No. 2] al final del libro) que mostraría el número de tardes durante las cuales Emilia habría practicado el tiempo necesario. Acordaron que, si durante el próximo mes Emilia se aplicaba a sus prácticas 21 días, obtendría un vestido nuevo para el recital. Emilia se sintió inspirada por la idea de llevar la cuenta de sus progresos, y la excitaba la idea del vestido nuevo que ansiaba, de modo que accedió sin problemas. Su deseo de cooperar se debía en parte a que en ese momento se encontraba en condiciones de escuchar el razonamiento propuesto por su madre. Emilia tomó parte en la conversación con ánimo tranquilo, encontrándose en un espacio emocional que le permitió ver los beneficios de realizar sus prácticas con seriedad.

- Aliente a su hijo a aportar ideas que lo ayudarán a modificar sus propias conductas. Hágalo reflexionar acerca de sus hábitos, de las cosas que le gustan, y de lo que percibe como expectativas razonables. Su hijo se involucrará en un plan que lo convierta en el capitán de su propio barco, lo cual le causará enorme placer. (¡Recuerde la búsqueda de independencia!). Por supuesto, la recompensa no perderá su brillo, pero constituirá sólo un aspecto del proceso durante el cual su hijo experimentará orgullo, satisfacción, y éxito.
- Trate la conducta que intenta modificar como una parte de un experimento integral. Señale que recoger los juguetes hace más fácil encontrarlos cuando se quiere jugar con ellos de nuevo. Si usted recompensa el buen trato entre hermanos, haga énfasis en los buenos momentos que podrían pasar juntos, aún si son breves. El soborno se centra sólo en la modificación momentánea de la conducta y no

ofrece beneficios ulteriores para la vida en general. El Plan de Recompensas deja espacio para abordar el problema desde una perspectiva más rica. ¿Qué pueden usted y su hijo aprender en el camino? ¿Qué recompensas invisibles los aguardan? ¿Cómo se sentirá su hijo cuando logre un objetivo merced a la disciplina y la perseverancia?

- Permita que su hijo participe en la selección de la recompensa, pero póngase firme ante los pedidos extravagantes. Con buen humor, recuérdele a su hijo que la recompensa lo ayudará a iniciar un recorrido. ¿Qué implica esto? Que usted espera que su hijo se haga cargo, pero que comprende que necesita una recompensa para ponerse en movimiento. Un soborno comienza y termina en el mismo instante en que ocurre, mientras que la recompensa es sólo una pieza de la rueda.

SOBORNOS Y RECOMPENSAS: COMPARÁNDOLOS MUY DE CERCA

Espero que ahora usted tenga más claro lo que diferencia a un soborno de una recompensa. Aún así, sería útil echar una mirada a una comparación más específica para aclarar mejor lo que los separa. Reflexione sobre las situaciones siguientes y sobre los diferentes modos en que es posible abordarlas:

Jessica, de seis años, gimotea y refunfuña cada vez que su mamá la lleva a visitar a su abuelo, quien reside en un Hogar para Ancianos. La niña manifiesta que se aburre, no presta atención alguna a su abuelo, y se embarca en una letanía compuesta por la alternancia de las frases "¿Cuándo puedo irme a casa?" y "¡Qué aburrida que estoy!". Hacia el final de la visita, su mamá se siente exhausta y abochornada. Quiere desesperadamente aquietar las quejas de Jessica, pero también proteger a su padre de la conducta de la niña.

- **Soborno:** la madre de Jessica se inclina hacia la niña y le susurra que si se comporta correctamente durante el resto de la visita, se detendrán a comprar un helado camino a casa. Jessica en-

cuentra que esto es una gran idea, pero también ha aprendido algo: compórtate mal, y te "pagarán" para que te detengas. ¡Qué incentivo para gimotear más alto la próxima vez!

- **Recompensa:** La mamá de Jessica rechina los dientes y se las arregla para darse por enterada del comportamiento de su hija. Se disculpa con su padre y, al día siguiente, durante un momento propicio, se sienta con Jessica y le dice que se da cuenta de lo difícil que resulta visitar un Hogar de Ancianos, una experiencia que puede vivenciarse como monótona, hacer aflorar sentimientos de tristeza, y oler de modo extraño. Anima a Jessica a expresar cómo se siente. La escucha comprensivamente y plantea la posibilidad de visitas más cortas. Luego explica que el abuelo necesita que lo alegren, y que ella sabe que ver a su nieta lo hace feliz. Utilizando un tono *positivo*, la mamá pasa a comentar su confianza en que Jessica es capaz de comportarse mucho mejor de lo que demuestra en estas visitas. Entonces sugiere un modo para que a Jessica estas visitas le resulten un poco más agradables. Le dice que si puede ocupar su tiempo mientras están con el abuelo, quizás dibujando algo lindo para regalárselo, y logra contener sus quejas, la llevará a comer helado cuando la visita termine. Se mantiene *realista* diciendo que sólo se quedarán media hora, y que ella le hará saber a Jessica el momento en que es tiempo de prolongar las visitas, diez minutos cada vez. Al concluir la próxima visita, la mamá cumple su palabra y lleva a Jessica a una heladería, donde ambas disfrutan de un helado con spray. Jessica se siente orgullosa porque el abuelo dijo: "¡Jessica, que divertido fue estar contigo hoy!"

En la historia anterior, la recompensa se relaciona con la madurez de la conducta, y no con el gimoteo y las quejas expresadas por la niña. Y, por supuesto, no olvidemos el beneficio agregado del elogio que la sorprendió. A Jessica le encantó que su abuelo manifestara el placer que le había causado su compañía. A la semana siguiente, Jessica también se condujo de manera muy agradable y puso empeño en conversar con su abuelo. Luego quiso un helado, pero su madre tuvo la sensación de que no había sido esto lo que ocupara su mente durante la visita.

Todos los días, Darío (6 años) y su hermano Marcos (8) lo pasan de maravilla en el área de juegos de la casa, pero al anochecer, arrastran los talones durante horas cuando se les pide que ordenen el lugar. No se trata de una tarea difícil: hay que colocar los autitos y camiones de juguete en el armario, los bloques para armar en un recipiente de plástico, separar los lápices y los crayones y guardarlos en sus respectivas cajas, y meter todos los muñecos que representan personajes de las series de aventuras en la caja de los juguetes. La mamá de ambos tiene jornadas laborales muy largas, y a todo lo que aspira es a llegar de regreso a una casa ordenada con dos niños que escuchan lo que se les dice.

- **Soborno:** El lunes por la noche, la madre entra y dice: "Limpien esto ahora". Pasados quince minutos, ella regresa, y encuentra a los niños jugando. Vuelve a repetir el pedido. "¡Ya va!" – a través de la habitación, las voces de los niños suenan como campanas estridentes. La madre no resiste más, y dice: "Muy bien, si limpian ahora mismo, se habrán ganado dos galletas extra con el postre". Los niños inmediatamente interrumpen lo que fuere que estaban haciendo y, con una sonrisa de oreja a oreja, prácticamente se atropellan para ordenar la habitación. Realizan un trabajo perfecto. Les ha llevado exactamente un minuto y medio.

- **Recompensa:** El lunes por la noche, la madre entra sosteniendo un reloj que indica el tiempo de cocción de los huevos. "Chicos, por favor acomoden" – les dice. Como de costumbre, apenas si recibe un fugaz reconocimiento de su presencia. Pero no se molesta. En lugar de ello, dice: "Aquí hay un medidor de tiempo. Lo voy a poner para que suene en cinco minutos". La madre sabe que se trata de un lapso *realista*. "Si terminan de limpiar la habitación antes de que suene la alarma, pueden comer una galleta extra con el postre". Luego sonríe. "Ustedes deciden". Entra en su cuarto, se quita los zapatos, cierra los ojos, y se relaja. Cuando han transcurrido 4 minutos, avisa a los niños: "¡Queda un minuto!". Este recordatorio positivo mantiene a los niños bajo control al tiempo que reconoce que todavía carecen de una clara noción del tiempo. La alarma suena, y la madre vuelve a entrar al área de juegos. El lugar reluce como un espejo, y los niños intercambian sonrisas de suficiencia.

A José (10 años) le disgusta leer. Es verano, y durante el día concurre a una colonia de vacaciones, pero su padre quiere que lea todas las noches. José se resiste. Lee durante 5 minutos y alega que lleva una hora haciéndolo. "Pierde" el libro que está leyendo, y cada noche se sucede una pelea.

- **Soborno:** El padre de José promete comprarle una bicicleta tan pronto el niño haya leído 10 libros. Entonces José busca los libros más cortos que puede encontrar, los "lee" rápidamente, saltea cuantas páginas puede y, dos semanas después, reclama su bicicleta. En honor a la verdad, su padre no puede refutar que ha leído los libros, y por lo tanto se siente obligado a cumplir su palabra... aunque tal vez José no haya honrado la suya.

- **Recompensa:** El padre de José desea incentivarlo para que lea durante el verano. A fin de asegurarse de que lo haga, recompensa a José por el tiempo que dedica a la lectura y no por el número de libros "terminados". De este modo, la atención recae sobre la calidad de la tarea, y el proceso se mantiene positivo. El padre controla el tiempo de lectura para asegurarse de que José se concentre en el objetivo. Cada vez que le es posible, se sienta con José a leer sus propios libros. Juntos deciden realizar sesiones de lectura *realistas*, de 20 minutos de duración, y acuerdan que, cada vez que José complete 10 sesiones, ganará una salida a los bolos junto con un amigo de su elección. Como a José le encanta el juego de bolos, comienza a leer. De pronto, descubre que el segundo libro que ha elegido es realmente apasionante. Créase o no, durante dos noches lee 45 minutos.

El padre de José está modelando el placer por la lectura al tiempo que le enseña la felicidad que proporciona. José le ha "permitido" hacerlo gracias a que tiene un incentivo. Sin embargo, con el transcurso del tiempo, la recompensa invisible ocupa el lugar central. José disfruta de los bolos, pero también le gusta tomar un libro por las noches.

RECOMPENSAS: ¿UN MATERIALISMO LATENTE?

Es posible que usted todavía se cuestione acerca de la prudencia de ofrecer recompensas materiales a un niño. Si alentamos a los niños a esforzarse en pos de una recompensa, ya se trate de helados, dinero para sus gastos, o juguetes de cualquier tipo ¿los estamos volviendo materialistas? Y ofrecer "cosas" a cambio de buena conducta ¿no podría constituir de por sí un soborno?

Si se las elige cuidadosamente, no creo que sea así. Las recompensas no alientan valores materialistas ni equivalen al soborno. Existen muchas maneras de esquivar las trampas tendidas por el materialismo:

- Elija recompensas de naturaleza no materialista. Los niños pequeños pueden ganarse la oportunidad de ayudarla a hornear una torta o de concurrir a su parque favorito.
- ¡No olvide pensar que usted mismo es una recompensa! Para cualquier niño, un momento especial que comparte con su padre/madre constituye un regalo. Los niños eligen el juego o la actividad, y usted se compromete íntegramente con lo que estén haciendo.

- Guarde las recompensas mayores para aquellos problemas que requieran un gran esfuerzo por parte de sus niños, o que les demanden tolerar algo que les resulta sumamente incómodo. A modo de ejemplo, problemas tales como perder el hábito de chuparse el pulgar, persistir en el uso de un aparato ortopédico a pesar de las burlas de sus compañeritos, o sacrificar tiempo de juego para asistir a clases de ayuda escolar, son merecedores de una recompensa generosa.
- Usted puede incluir dentro de las recompensas cosas que su niño eventualmente obtendrá de todos modos, pero que no percibe como inmediatas. Esto posee la ventaja de impulsarlo hacia adelante sin eclipsar la lección que tiene que aprender en un momento particular de su vida.

Sandra (7 años) había tomado la costumbre de abandonar su habitación por las noches media hora después de acostarse. La primera vez que lo hizo, dijo sentir miedo, por lo cual sus padres le permitieron sentarse con ellos y conversar un ratito antes de volver a llevarla a la cama. Ahora Sandra espera que lo mismo ocurra todas las noches. Antes de este episodio, la niña no tenía dificultad en conciliar el sueño rápidamente.

Sus padres eligieron el Gráfico de Chequeo Diario (para tomar uno en blanco, ver la sección

Gráficos Separables [No. 3]), y le dijeron a Sandra que se haría acreedora a una estrella por cada noche que se quedara en su cuarto, durmiendo. Luego de diez noches, acordaron comprarle una caja nueva y mayor de marcadores. En realidad, hacía ya unos días que venían conversando acerca de esto con Sandra, porque los marcadores viejos estaban perdiendo color. Como el dibujo era la distracción favorita de la niña, Sandra estaba complacida de que hubiera una fecha definida para tener su nueva caja, de modo que se esforzó mucho por permanecer en su cama. Al comienzo no fue sencillo: Sandra lloraba y estaba nerviosa. Entonces sus padres introdujeron una modificación en el plan. Después de arroparla, se sentarían con ella durante 5 minutos mientras Sandra cerraba los ojos. La solución funcionó, y dos semanas más tarde Sandra obtuvo su nueva caja de marcadores.

No es frecuente que los niños pequeños se muestren reacios a tener que ganarse cosas que habrían recibido de todos modos sin que mediara una modificación en su conducta. No poseen un sistema claro de creencias respecto de lo que se les "debe", por lo cual aceptan las nuevas condiciones sin protestar. Sin embargo, cuando se trata de niños mayores, si lo que usted se propone es ayudarlos a mejorar algunos de sus hábitos, es posible que sea necesario explicarles que ahora deben ganarse determinados privilegios. Si usted cree que su hijo sentirá resentimiento al tener que esforzarse por ganar algo que antes recibía naturalmente, puede ofrecerle una pequeña gratificación. El señalar la posibilidad de una ganancia mayor es una forma de aliviar el resentimiento.

Aarón (10 años) había estado recibiendo una asignación semanal de $3 durante un año. Esta suma había sido establecida sin que mediaran obligaciones de su parte. Los padres esperaban que desempeñara algunas tareas, pero el niño típicamente "olvidaba" hacerlas, y rara vez las encaraba sin que sus padres tuvieran que reprenderlo una y otra vez.

Finalmente, su padre se sentó con él, le explicó que, en su opinión, Aarón ya tenía edad suficiente para asumir responsabilidades más "maduras" respecto de las tareas que le correspondían, y también señaló que su propio salario estaba ligado al trabajo hecho. Le explicó a su hijo que deseaba ayudarlo a preparar para el futuro, para cuando el propio Aarón tuviera un empleo. Juntos llenaron un Contrato (para tomar uno en blanco, ver la sección Gráficos Separables [No. 19]) listando las diversas tareas que eran responsabilidad de Aarón *y el monto de la asignación semanal que recibiría si las desempeñaba todas. El padre decidió que era razonable aumentarle $ 1, puesto que ahora se esperaba que se hiciera cargo de todas sus tareas de manera responsable. Le advirtió a Aarón que sólo recibiría un recordatorio, pero no más de uno.*

Aarón se sintió feliz con el aumento y percibió que el cambio en las expectativas había sido tenido en cuenta. Asimismo, lo enorgulleció que su padre lo creyera lo suficientemente "grande" como para iniciarlo en el mundo de los hombres. La actitud respetuosa del padre posibilitó no sólo que Aarón cooperara sino que también aprendiera las sensaciones que despierta el ganarse el dinero de manera genuina.

CUANDO LA RECOMPENSA NO RESULTA, ¿INCREMENTARLA SE ACERCA AL SOBORNO?

En muchas ocasiones me han dicho que, al no funcionar la recompensa, los padres se han visto obligados a subir la apuesta. Una película se convirtió en tres. Un cono de helado pasó a ser un sundae de lujo. Una tarde de patinaje en el parque terminó siendo una fiesta en la pista de patinaje de moda.

¿Equivale esto al soborno?

Pues no exactamente, pero se acerca bastante. A veces, parecería que los padres se equivocan al juzgar la dimensión apropiada de la recompensa; en este caso, el incrementar el atractivo puede ser lo correcto. Pero la mayor parte del tiempo, si usted ha elegido desde el principio una recompensa atractiva, aumentarla no es la respuesta al problema. El fracaso de un Plan de Recompensas puede deberse a que a su niño le ocurre algo que el plan no está en condiciones de solucionar. En el próximo capítulo, me ocuparé de las razones que podrían ser causa de esta situación.

Por ahora, baste con decir que recompensas cada vez mayores suelen señalar la existencia de problemas ocultos. El intentar taparlos con recompensas más elaboradas puede acercarlo peligrosamente al borde del soborno, en especial porque, una vez más, su hijo está pidiendo ser "comprado". Y la tragedia reside en que el niño ni siquiera se da cuenta de su propia confusión o angustia interior respecto de otras cuestiones; entonces, simplemente asume que el obtener una recompensa mayor y más brillante lo hará sentirse mejor dispuesto hacia la modificación de su conducta. Trate de no dejarse engañar por esto. Se encontrará estafando tanto a su hijo como a usted mismo.

Permítame resumir las importantes diferencias que separan a la recompensa del soborno:

- El soborno termina instantáneamente con un episodio de mala conducta. La recompensa no actúa tan velozmente, pero establece un patrón de buena conducta a lo largo del tiempo.
- El soborno le enseña al niño que obtendrá todo lo que desea con sólo comportarse mal. La recompensa le enseña al niño que, para obtener lo que desea, debe observar buena conducta de manera consistente.
- El soborno no le ofrece al niño la oportunidad de encontrar su motivación interior. La recompensa requiere que el niño busque fortaleza dentro de sí.
- El soborno no enseña nada a un niño, y jamás será de otra manera. La recompensa encarna la potencialidad de enseñar acerca del orgullo y el placer que proporciona la persecución de una meta, además de las recompensas inesperadas que pueden surgir en el camino.
- El soborno alienta al niño a ver a sus padres como seres a quienes es posible manipular. La recompensa anima al niño a ver a sus padres como a personas justas, francas, claras, y confiables.

PARA TERMINAR: UN COMENTARIO SOBRE LOS CONTRATOS COMO RECURSO ANTI-SOBORNO

CONTRATO
Prometo: Lavarme la cabeza todos los días durante una semana sin protestar. No tengo que hacerlo si llueve.

Elisa
firmado
A cambio, yo/nosotros: te inscribiremos en clases de gimnasia, si completas la primera semana de lavados, y luego te sigues lavando la cabeza diariamente.

firmado Mamá
fecha: 13 de julio

Un contrato redactado con reglas claras y firmado por el niño y ambos padres puede subrayar que el Plan de Recompensas requiere de responsabilidades mutuas. Aunque los contratos pueden servir como simples instrumentos para llevar registro de los propósitos a cumplir (como se vio en el caso de Aarón y su padre), también prestan un halo de seriedad al plan. El mensaje es que todas las partes tienen que cumplir una "tarea". Hay un principio, un medio, y un final. Si alguno de los firmantes no cumple con las condiciones, el pacto queda sin efecto. De muchas maneras, el concepto mismo de Contrato subraya los aspectos anti – soborno del Plan de Recompensas. Enfrentemos los hechos: los sobornos tienen que ver con actitudes solapadas. ¿Quién firmaría un soborno a la luz del día? El escribir los términos del acuerdo pone en perfecta evidencia que este es un plan del cual enorgullecerse. No hay secretos. Su hijo no escapa a las consecuencias de sus actos ni manipula a nadie. Todos los participantes ejercen una parte del control.

Por supuesto, otra de las ventajas de contar con un Contrato es que minimiza el riesgo de las discusiones. Su hijo no podrá decir: "¡Pero si tú dijiste... !!" O, más bien, podrá hacerlo, pero lo único que usted debe hacer es traer el Contrato y decir amablemente (evitando esa postura de "te lo dije" que se siente tentado a emplear): "Mira aquí. Leámoslo juntos". Su hijo adoptará una actitud hosca durante un rato, y hasta puede decidir entrar en huelga. Llegado este punto, usted tiene la prerrogativa de recordarle (si es que así lo estipula el Contrato) de la restricción de los tiempos involucrados en los términos. (Por ejemplo, en exactamente 2 semanas su hijo tiene que haber mejorado 10 veces una conducta en particular). También recuérdele la recompensa. Inclusive puede discutirla con él, hasta cierto punto. "Dime otra vez, ¿qué película quieres alquilar? ¿Qué te han contado sobre ella?", o "Sólo piensa en ese sundae que te está esperando. ¿Con copete de azúcar quemada o de crema? ¿Qué opinas?"

Más adelante, el texto ofrece modelos de Contrato para utilizar en diferentes situaciones.

Muy bien. Ha llegado el momento de diseñar el Plan de Recompensas que usted necesita para su propio hijo.

CAPÍTULO 3

El Diseño Y La Implementación
DE SU PROPIO PLAN

El enfoque del Plan de Recompensas es extremadamente versátil y suele resultar muy efectivo para niños a partir de los tres años. Después de los 8 a 10 años, los niños no se interesan tanto por un gráfico imaginativo, de modo que un sencillo anotador o calendario servirá para llevar cuenta de los progresos. Por otra parte, los preadolescentes y adolescentes querrán que su palabra sea más escuchada a la hora de desarrollar los términos del Plan de Recompensas, de modo tal que los padres deben estar preparados para negociar más con sus hijos mayores. No obstante, los niños de todas las edades pueden beneficiarse con el enfoque positivo y coherente del Plan de Recompensas. Los ejemplos que se detallan a continuación le darán una idea de la multiplicidad de conductas que pueden modificarse mediante un plan de este tipo.

- decir "por favor" y "gracias"
- recoger ropas y juguetes
- cepillarse los dientes
- vestirse aprisa
- utilizar pañuelos de papel
- aumentar el ejercicio y la actividad física
- compartir
- ceder el paso
- controlar rabietas
- disminuir las peleas entre hermanos
- aumentar el buen trato entre hermanos
- abandonar hábitos como chuparse el pulgar o morderse las uñas
- reducir los gimoteos
- permitir que otros hablen por teléfono sin interrumpir
- acostarse a horario
- hacer tareas
- terminar *toda* la tarea escolar

Un Plan de Recompensas puede estar dirigido a cualquiera de los puntos anteriores, y a muchos otros. Independientemente de cuál sea la conducta que usted desea modificar, los principios continúan siendo los mismos. Sin embargo, casi todos los detalles de su plan dependen en gran medida de la naturaleza particular de su hijo (de su edad y temperamento) así como de su problema (un hábito indeseado o conductas destructivas).

Usted debe buscar un plan que funcione de la manera más *expeditiva*. ¿Qué significa esto? Pues que necesita un plan el cual su hijo adhiera rápidamente, que le cause placer, y que permita que todos se sientan triunfantes y orgullosos. Por lo general, ello requiere que usted elija un plan donde se haya tenido en cuenta el *contexto*. Este capítulo lo guiará para ayudarlo a evaluar la situación en que se encuentra para luego pasar a desarrollar un exitoso Plan de Recompensas.

EVALUACIÓN DEL CONTEXTO: FACTORES QUE AFECTARÁN SU PLAN DE RECOMPENSAS

Es probable que usted se haya percatado de que muchas de las rutinas y rituales que funcionan satisfactoriamente en los hogares de sus amigos y vecinos no pueden ser trasplantados al suyo sin más ni más. Por cierto, su familia está constituida con base en la fusión irrepetible de estilos individuales, y se mueve con un ritmo que le es propio. Antes de emprender cualquier acción, haga un listado mental: ¿cuáles son las características singulares de su hijo, y qué le sucede en casa, en la escuela, y en las relaciones con sus amigos? ¿Y qué ocurre en nuestro hogar que podría afectarlo?

★ El Temperamento De Su Hijo ★

Algunos niños aceptan con entusiasmo natural toda idea nueva que se les proponga. "Grandioso" – piensan. "Algo distinto". Son abiertos de mente. Están dispuestos a probar cosas nuevas. Por lo general, estos niños tienen una actitud positiva frente a la vida.

Por otra parte, existen niños que se resisten a los cambios como si se tratara de una plaga. No les importaría que sus sudaderas estuvieran reducidas a jirones, que sus amigos comenzaran a molestarlos, o que recibieran una invitación a un parque de diversiones que no conocen. Se empeñan en conservar la sudadera, rehusan conocer nuevos amigos, y prefieren ver *montones* de películas antes que permitir – no sin renuencia – ser transportados a la Tierra de la Fantasía.

Y, por supuesto, hay también niños que oscilan entre ambos extremos. Algunos son temperamentales. De ser un remanso de placidez, al minuto siguiente usted tiene la sensación de que está compartiendo una habitación con un tsunami. A otros niños les cuesta mucho entu-

siasmarse con algo y tienden a recibir planes nuevos con un bostezo.

Cuando se trata de crear un Plan de Recompensas para su hijo, es importante que usted sepa reconocer qué tipo de niño tiene en casa, y qué es capaz de captar su atención y de mantener vivo su interés. El reconocer a su hijo tal como es afectará el modo en el cual le presente el plan, el grado de compromiso que logre de él para trabajarlo juntos, el tiempo que él podrá esperar antes de ser recompensado, y muchas otras cuestiones. Es probable que un niño que se entusiasma con facilidad desee ayudarla a crear gráficos, elegir estrellas, colgar el gráfico en un lugar visible, y contarle a todo el mundo acerca del plan. Un niño más retraído tenderá a observarla mientras usted diseña el gráfico y hace la marca en el lugar que corresponde a cada día sin darle mayor importancia. (Sin embargo, ello no significa que el niño no disfrute de sus progresos en su fuero íntimo). Y si su hijo detesta los cambios, usted deberá apoyarse fuertemente en las técnicas de configuración para no alterar demasiadas cosas en un plazo excesivamente breve.

★ La Temperatura Familiar ★

Aunque es absolutamente cierto que, en ocasiones, los niños se conducen mal porque les es más fácil que hacerlo bien, o porque necesitan sentirse independientes o, sencillamente, porque no son capaces de controlar sus impulsos, en otros casos la mala conducta puede ser la manera en la que expresan su malestar para con usted. Quizá usted ha estado demasiado preocupado por sus propios problemas. Es posible que haya prestado atención a sus niños sólo cuando manifiestan conductas indeseadas, y ha olvidado elogiarlos cuando hacen algo bien. Es posible que se sientan abandonados y poco apreciados si han recibido escasa atención positiva.

También es posible que sus hijos perciban la tensión familiar, si la hay. Si bien usted cree que las discusiones conyugales no traspasan las puertas cerradas, son muy raros los casos en los que los hijos no perciben la infelicidad de sus padres. Por otra parte, si alguno de sus hijos es extremadamente difícil o se muestra perturbado, al otro u otros le resultará muy difícil sentirse a salvo y protegido. Tarde o temprano, la conducta de su hijo "dócil" habrá de reflejar sus miedos y ansiedades.

Es de suma importancia que usted reflexione de qué modo el clima emocional de su familia puede estar influyendo sobre su hijo antes de zambullirse en un plan para solucionar los problemas de conducta de su hijo. El Plan de Recompensas no funciona si su hijo se está debatiendo por "hacer las cosas bien" en una atmósfera cargada de tensión. Va a necesitar elogio. Y atención. Va a necesitar la sensación de que puede satisfacerla a usted al mismo tiempo que alcanza su propio placer. Esto no ocurre si quienes lo rodean manifiestan frustración.

Veamos ahora el proceso de desarrollo práctico de su propio Plan de Recompensas.

CINCO PASOS PARA EL ÉXITO DE SU PLAN DE RECOMPENSAS

Bien, vayamos ahora a lo esencial. Usted ha evaluado la situación familiar y ha llegado a la conclusión de que no existen obstáculos evidentes que impidan la introducción de un Plan de Recompensas. Si sigue los pasos que se detallan a continuación y dedica algún tiempo a pensar en el modo de adaptarlo a sus hijos y a la familia, el éxito se encuentra a la vuelta de la esquina.

★ Paso I: Decida Cuál Es El Problema De Conducta ★

Aunque su hijo manifieste una variedad de conductas problemáticas, lo mejor es elegir una o dos por vez para trabajar sobre la modificación deseada. De otro modo, el niño puede desanimarse tanto que ni siquiera lo intentará. Recuerde que el Plan de Recompensas debe verse realista.

Resulta útil elegir una conducta que su hijo sabe que causa problemas. Ya estará algo cansado de discutir con usted por ese motivo y, aunque quizás no lo admita, es posible que acepte de buen grado la oportunidad de poner fin a las fricciones.

Sea Específico

Al identificar las conductas que desea modificar, asegúrese de explicitarlas en detalle. Posiblemente no bastará con hablar de "una habitación prolija". ¿Qué es lo que esto significa, exactamente? ¿Qué los juguetes estén en los canastos? ¿Qué las camas estén tendidas? ¿Qué la ropa sucia vaya al cesto correspondiente? ¿También está pidiendo un armario prolijo? Se trata de ser *muy* claro, de modo tal que a mitad del camino usted no se encuentre discutiendo las condiciones del acuerdo. Lo que usted desea no es oír a su hijo exclamando: "¡Eh! ¡Nunca dijiste que tenía que limpiar la gaveta de mi escritorio!"

El ser específico proporciona una ventaja adicional. Usted puede adjudicar una estrella por cada parte del trato que se haya cumplido, y así el niño verá qué rápidamente progresa. Y otra de las ventajas de dividir un objetivo en unidades menores es que los niños podrán recibir créditos parciales el día en que no hayan logrado completar el total requerido. Esto contribuye a imbuir al Plan de Recompensas de un espíritu positivo. "Bueno, no puedo darte una estrella por no dejar tu ropa tirada, pero me alegra que te hayas ganado una por tender la cama". Si el objetivo apunta a 20 estrellas, el niño avanza de todas formas.

Es así como usted subraya que, definitivamente, lo apoya.

Comience Poco a Poco

Tenga el cuidado de elegir conductas que faciliten la posibilidad de que su hijo obtenga recompensas. Cepillarse los dientes todas las mañanas es mucho más sencillo que cumplir con una lista de cinco puntos para el cuidado personal. Colgar la chaqueta en la percha cada tarde es mucho más fácil que limpiar toda el área de juegos. Si usted comienza poco a poco, su hijo comenzará a tomarle el gustillo al significado de hacer un pacto, trabajar para alcanzar un objetivo, y triunfar. Una vez que el niño comprueba que es factible, y que puede confiar en que es una buena manera de vencer un obstáculo o de cumplir con las exigencias de una tarea, será menos renuente a dar un paso más allá.

Asegúrese también de que el trabajo hacia el objetivo no implique un lapso demasiado largo para su hijo. A los muy pequeños les resultará más difícil esperar demasiado por su recompensa. Algunos necesitan recibir un pequeño premio enseguida. Otros podrán esperar un día, o tal vez una semana. Indudablemente, la capacidad de soportar la demora en recibir una gratificación aumenta con la edad.

Naturalmente, si es necesario premiar a menudo, las recompensas deben ser pequeñas. Si usted va a pedirle a su pequeño que tolere una breve espera, debe mostrarle con total claridad la conexión que existe entre cada buena conducta y la consiguiente recompensa. Por ejemplo, si va a ofrecer un pequeño dinosaurio de plástico a su hijo de 3 años luego de que haya orinado 4 veces en el sanitario, puede dibujar cuatro X en un "Gráfico Diséñelo Usted Mismo" junto al dibujo de un dinosaurio. Luego explíquele a su hijo que cada vez que decida utilizar el sanitario, puede colocar una estrella sobre una X. Cuando haya cubierto las cuatro X, obtendrá el dinosaurio.

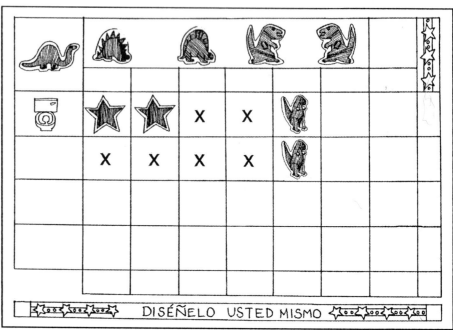

Los niños mayorcitos pueden esperar más tiempo. Para ganar una recompensa atractiva, un niño de 8 o 9 años puede trabajar en su objetivo durante 1, 2, o 3 semanas – por lo general, un mes es el plazo máximo. Pero no deje de llevar cuenta de sus progresos, ya sea mediante un gráfico, un anotador, o el almanaque de la cocina. Así, al ver la línea creciente de marcas positivas, su niño mayor se sentirá confiado, sabiendo que, a la larga, el esfuerzo valdrá la pena.

★ Paso 2: Seleccione Un Gráfico Y Una Recompensa ★

En los capítulos anteriores, se han mencionado una cantidad de gráficos, recompensas parciales, y recompensas finales al cumplirse la totalidad del plan. Veamos ahora cómo han de seleccionarse el gráfico y la recompensa que mejor cuadra a su hijo. Los escenarios descriptos en la Parte II proporcionarán una mejor comprensión de cómo se ensamblan los gráficos con las recompensas (Modelos para los Planes de Recompensas).

Eligiendo un Gráfico

Con frecuencia, usted elige el gráfico que mejor se corresponde con los puntos conducentes a una recompensa. Sin embargo, el formato puede ser gratificante por sí mismo, particularmente cuando se trata de niños pequeños. En la sección de Separables, al final del libro, encontrará una cantidad de gráficos imaginativos, listos para usar, con escenas sobre las que usted o su niño pueden aplicar stickers. Se llaman *Mi Lámina Propia*, y resultan ideales para niños de entre 3 y 5 años. Por ejemplo, el gráfico llamado "Bienvenido al zoológico" muestra un zoológico con jaulas vacías. De este modo,

una recompensa que consista en stickers de animales se verá mucho más atractiva de lo que sería si no se contara con un zoológico propio. Para su hijo, la oportunidad de convertirse en guardián del zoológico y continuar agregando animales a la colección puede constituir una recompensa suficiente como para inducirlo a modificar una conducta.

En otros casos, gráficos novedosos o recompensas alternativas, agrupadas en la Parte III bajo los títulos de *Seguimiento Con Imaginación* y *Todos Los Extras*, proporcionan por lo menos una parte del atractivo y la excitación de un Plan de Recompensas, de modo tal que la recompensa final no necesita ser muy rumbosa. Por ejemplo, el gráfico de "La Caza del Tesoro" agrega la diversión de tener que cazar la recompensa. Los Cupones de Premios, que los niños pueden tener y colorear (como lo hizo Natalia en el Plan para Partir de la Fiesta en el Capítulo 1), también contribuyen brillo a la recompensa por la que serán canjeados. Tal vez sea útil que usted dedique algún tiempo a hojear la Parte III cuando necesita buscar un gráfico o una recompensa que a su hijo le resulte particularmente atractiva.

Por descontado, por imaginativo que sea el formato de un gráfico, no bastará para motivar a su hijo a trabajar duro en la modificación de conductas. Particularmente cuando se trata de niños pequeños, pero muchas veces también aplicable a los mayorcitos, será necesario que usted proporcione un quantum suficiente de motivación por medio de una recompensa final por haber cumplido el objetivo último. Los niños mayorcitos sentirán que los gráficos fantasiosos son cosa de pequeñines, por lo cual lo mejor es optar por el gráfico de Seguimiento o el gráfico de Chequeo Diario, cuyo formato está pensado sólo para llevar un registro del funcionamiento. Todos estos gráficos (y otros) se encuentran al final del libro, para que usted pueda desprenderlos y comenzar con el Plan de Recompensas de su preferencia.

Eligiendo una Recompensa

Las más de las veces, usted estará en condiciones de decidir por sí mismo cuál es la recompensa apropiada. Es usted quien conoce los deseos de su hijo, y el tamaño adecuado de la recompensa en juego. No obstante, hay casos en los cuales querrá que su hijo participe en el diseño del Plan de Recompensas.

Si decide incluir a su hijo, no es buena idea iniciar la planificación sin que usted misma tenga una idea clara de lo que considera apropiado. En primer lugar, su hijo puede tomarlo desprevenido y pedirle algo equivalente a una sala de proyección privada. Semejante pedido puede dejarlo tan confundido que, en lugar de una recompensa pequeña, sólo se le ocurrirán cosas que lo lleven por el camino de la seducción.

Otro error grave es acceder a una recompensa en un momento de desesperación. Al margen de que esto huele a soborno, puede llegar a lamentarlo después. Recuerde que la clave del Plan de Recompensas reside en que se trata de un plan. No es una solución al estilo de un acto reflejo que le haga pensar "tengo que lograr que esta criatura deje de comportarse así en este mismo instante".

Entonces, comience la conversación con lo que yo llamo un *perfil de recompensa* ya en mente. ¿Qué grande ha de ser? ¿Ha de ser algo que usted y su hijo hagan juntos o algo que usted le dé? ¿Debe ser algo que su hijo haya estado pidiendo, o alguna cosa nueva en la que nunca pensó? Vaya preparado, con varias alternativas, y permita que la edad de su hijo guíe sus elecciones.

Los menores (entre los 3 y los 5 años) suelen contentarse con casi cualquier regalo o sorpresa, y a menudo se conforman con estrellas o stickers pegados sobre un gráfico colorido o sobre su camisa o chaqueta. Aunque los niños de entre 5 y 8 años también disfrutarán del sencillo placer de recibir puntaje, estrellas, o cupones, los planes funcionan mejor para ellos si contienen algún incentivo de mayor envergadura; por ejemplo, una salida, alguna actividad especial, o un pequeño juguete cuando el plan ha llegado a su fin. Los niños mayores – desde los 8 años en adelante– suelen tener gustos más costosos y preferencias bien definidas. Si la recompensa final carece del "brillo" adecuado, perderán interés en el formato del gráfico. Repito que ello no significa que usted deba cederles su cuenta en un banco suizo, pero comenzar a hablar teniendo en mente algunos objetos o actividades sencillas pero muy deseadas será de gran ayuda para motivarlos.

Si su hijo intenta enredarlo en una discusión interminable acerca de las recompensas, prepárese para comportarse como lo haría un negociador profesional: infórmele, sin perder la calma, que si no se decide por una de entre tres o cuatro recompensas aceptables en un plazo dado, no será posible comenzar con el plan. Por mucho que usted desee comenzar ya a trabajar para poner fin a la conducta problemática, cumpla con su palabra a rajatabla. ¡No existe niño que no decida rápidamente que es preferible aprovechar lo que se le ofrece mientras está en pie!

★ Paso 3: Presente El Plan De Recompensas ★

Los menores suelen aceptar un Plan de Recompensas sin mayores objeciones. Bien llevado, lo toman como un juego. Pero los niños mayores tal vez se muestren más escépticos. Lo primero que notan es que se les está pidiendo que mejoren una conducta (o que la descarten). Por cierto, la recompensa suena bien, pero igualmente pueden tener dudas respecto de si desean modificar la conducta en cuestión. Lo inteligente es explicarles de manera franca lo que usted piensa.

– *Lucas, he estado pensando mucho en cómo nos la pasamos discutiendo porque no haces tu tarea escolar.*

*Esto toma por sorpresa a su hijo de **10** años. Quizá por primera vez, parece que a mamá Silvia le preocupan más las peleas que la tarea en sí.*

– *En realidad, estas discusiones me disgustan tanto como a ti, así que he pensado en un plan que te ayude a hacer tus cosas y que funcione para los dos. Sé que tu maestra, la Sra. Diez, te da un montón de tarea escrita, y sé que escribir te resulta difícil. Me doy cuenta de que cuando trabajas los problemas mentalmente, piensas verdaderamente rápido y bien. Pero la Sra. Diez basa la mayor parte de las notas que pone en la tarea que le entregas, y no creo que estés muy contento con las notas que has venido sacando en tus tareas. (Llegado este punto, Silvia identifica una dificultad subyacente de su hijo, y él se alegra de que ella lo comprenda. Le demuestra empatía por las dificultades que experimenta y por la desilusión que le provocan sus notas... y ni qué decir de la que ella siente).*

– *Como tienes que trabajar muy duro en tus tareas escolares, he pensado que sería razonable ofrecerte una recompensa si les dedicas un poco más de tiempo y esfuerzo. Sé por experiencia propia que cuando tengo algo a lo que aspirar, puedo esforzarme un poco más.*

En este momento, Silvia está presentando el plan de modo tal que suena informal y maduro. Al fin y al cabo, es la manera en la que ella misma aborda los problemas.

— Pensé que si pudiéramos buscar un modo para que te sientes a hacer tu tarea más temprano y la termines, podrías ganarte una recompensa al final de cada semana. Estuviste pidiendo alquilar juegos de video, y tal vez podrías ganarte el permiso de hacerlo si terminas tu tarea antes de las 8p.m. todos los días durante una semana. Podríamos hacer un calendario semanal e ir tachando cada día que lo logres. Si llegaras a tener un partido de fútbol que interfiriera con este horario, ese día podemos hacer una excepción.

— Lo del alquiler de los juegos está genial — dice Lucas, con un dejo de cautela. — Quiero decir, gracias por pensarlo, pero lo de las 8p.m. no funciona. Mi programa favorito de tele es a las 7.30.

Silvia vuelve a la carga. — ¿No puedes pensar en algún otro modo de hacer tus tareas para que puedas ganarte el permiso de alquilar los juegos?

— Podría hacer la mitad antes de que empiece el programa, podría hacer la parte más difícil, donde hay que escribir más. Y terminar lo demás después del programa — propone Lucas.

Suena bien, siempre y cuando tú no estés demasiado cansado a la hora en que termina el programa — responde Silvia. — ¿Qué te parece si probamos durante una semana y vemos si mejoran las notas de tus tareas?

En la última parte del diálogo, Silvia incluyó uno de los elementos más cruciales de un Plan de Recompensas: le permitió a su hijo opinar acerca del plan que iban a encarar. Le permitió negociar. Esto último, en particular para un niño mayor o para cualquier niño a quien le resulte difícil ceder el control, constituye un componente sumamente importante a la hora de armar un plan. Sin embargo, la clave reside en no permitir que la negociación se salga de los carriles ni que dure mucho tiempo con todas las pasiones desatadas. Usted no está involucrado en las reuniones de Camp David para acordar sobre la paz mundial.

Una vuelta saludable y bien manejada, y yo diría que lo logró. Puede llegar hasta dos, si usted presiente que si cede un centímetro más, su hijo accederá de buen grado.

Dentro de lo posible, tiene que eliminar la idea de que usted tiene el control. El punto es que ambos lo comparten. Un Plan de Recompensas requiere que cada

uno de los involucrados haga su parte. Este mensaje resulta muy inspirador para el niño. Papá no lo *obliga* a leer media hora cada noche. Mamá no lo *presiona* para que guarde sus zapatos en el botinero. Se trata de una oportunidad para tomar parte, por propia voluntad, en un plan que mejore su conducta al tiempo que le asegura una recompensa por el esfuerzo que realiza.

Una manera de hacer que su niño tome conciencia de su compromiso, responsabilidad, y control, consiste en pedirle que participe en la planificación y creación de cualquier gráfico que se proponga utilizar. Si el niño tiene inclinaciones artísticas, quizás quiera decorar el gráfico con dibujos de todo tipo o, simplemente, dar una nota de color a los gráficos en blanco y negro. Puede que esto le interese más que hablar acerca de cuál es el número de días durante los cuales tiene que poner la mesa antes de obtener una recompensa. A un niño mayor podría interesarle colaborar con el margen de tiempo. Igualmente, usted puede sugerir que le dé un toque personal a cualquier gráfico que usted diseñe, pues éste es un modo de que el niño se lo apropie.

Y, por supuesto, si su hijo así lo desea, permítale colocar las estrellas que gane, o inscribir las marcas, o tomar sus cupones con sus propias manos. Así es como él se recompensa a sí mismo. Lo mismo es válido para cualquier otro aspecto del plan que se preste a que usted invite a su hijo a regular la conducta. Si usted decide usar un reloj de cocina para controlar un período específico de tiempo durante el cual su hijo tiene que sentarse a leer, permita que él mismo ponga la alarma. Luego deje que sea él quien anuncie orgullosamente: "¡Tiempo!".

Como ya he dicho, a los niños les encanta capitanear su propio barco. Pero existe una ventaja adicional. Al permitir que su hijo disfrute de su éxito y se recompense a sí mismo con una estrella o con un anuncio de auto – felicitación, lo que usted transmite es: "¡Adelante! Siéntete orgulloso de un trabajo bien hecho". Usted desea que su hijo se sienta bien consigo mismo: la auto – aprobación es una gran cosa.

En realidad, es la que más importa.

★ Paso 4: No Flaquee ★

Es posible que un día su hijo esté malhumorado, usted se sienta fatigado, y que los acontecimientos de ese día en particular lo hayan llevado al límite de la tolerancia. Aún así, haga su mejor esfuerzo para no interrumpir el plan. Si su hijo se niega a acostarse a la hora acordada, manifiéstele la pena que siente porque ha perdido la oportunidad de ganarse otra estrella, pero manténgase firme. Si rehúsa cepillarse los dientes, dígale que es una pena, pero tendrá que esperar hasta el día siguiente por su premio. Si su hijo ve que usted no bromea al respecto, continuará avanzando en la dirección correcta. Esto ocurre especialmente al principio de la implementación del plan. Si el niño descubre que las reglas se flexibilizan cuando usted ha tenido un mal día, tratará de aprovecharse de ello.

Trate de no interrumpir el plan unilateralmente a mitad del camino, ya sea a causa de su propia fatiga o porque el niño ha perdido interés. Al contrario; muéstrele la importancia del objetivo, insistiendo en encontrar un momento tranquilo para sentarse y hablarlo. Tal vez usted esté pidiendo demasiado, o la recompensa acordada ya no resulta atractiva, o su hijo se siente abrumado por otros problemas. Discútalo a fondo, y hágale saber a su hijo que usted todavía desea que él llegue a la meta final, pero que lo haga sintiéndose bien. "Caramba, Andrés. Otra vez tengo problemas para hablar por teléfono. ¿Todavía estás interesado en obtener esa figura del juego de aventuras?"

También podría comentar algo así como: "Cuando comenzaste, ganabas una estrella atrás de otra. ¡Y de pronto se acabó! ¿Hay algo que te preocupe y que ocupe tanto espacio en tu mente que ya no queda lugar para que pienses en el plan? Ya sé que han pasado unos cuantos días sin que papá te telefoneara. ¿Lo extrañas?". Es útil ofrecer a los niños lo que usted cree que es la causa de lo que los perturba, porque a ellos les resulta muy difícil identificarla con claridad.

Luego, asegúrese de que no es *usted* quien está abandonando la idea. "Bueno, mira, creo que todavía tenemos que trabajar en un plan para que dejes de interrumpir. Sabes que telefonear desde casa es parte de mi trabajo: así es como gano mi dinero. Veamos si podemos hacer que este plan funcione".

Haga lo que sea, ¡pero no pelee acerca del plan! Lo último que debe hacer es reprender a su hijo porque no gana puntos. Se supone que el plan es una experiencia positiva. Si usted descubre que está a punto de decir: "¿Qué es lo que pasa contigo? ¿Es que ya no te importa la recompensa?", muérdase la lengua.

Háblelo lo mejor que pueda. Si fuera necesario, busque otro lugar donde descargar las frustraciones que le provocan la crianza de sus hijos.

★ Paso 5: Fin Del Plan ★

El momento del reconocimiento; casi ninguna otra cosa. "¡Lo lograste!" y "¡Estoy orgulloso de ti!" son frases perfectas. Subrayan que su hijo hizo lo que se propuso y que tuvo éxito. Tal vez usted quiera darle un Certificado de "¡Lo logré!" *(ver la sección de Gráficos Separables [No. 21] al final del libro).*

También debe ser cuidadoso en entregar la recompensa *sin demora*. Su hijo ha esperado bastante. Si usted desea modificar otras

Certificado "¡Lo Logré!"

conductas utilizando esta misma técnica, debe cumplir al pie de la letra lo que ha prometido. Dentro de límites razonables, sin alboroto, sin excusas, y sin demoras.

Para mantener el aburrimiento a raya, cualesquiera planes futuros deben incluir gráficos distintos, o un nuevo sistema de recompensas. Es por ello que la Parte III contiene una gran variedad de puntos acerca de gráficos y recompensas. Y no olvide que si su hijo se ha ganado algún privilegio en particular, debe mantenerlo aún cuando el plan ya haya llegado a su fin, siempre que la conducta se sostenga. Si se ha ganado el derecho a media hora de televisión extra en su noche favorita, quitárselo ahora que el plan ha sido completado con éxito no es precisamente lo mejor.

MODIFICACIÓN DE LA CONDUCTA ¿TEMPORARIA O PERMANENTE?

A excepción de los hábitos sencillos que se vuelven automáticos, por lo general es importante mantener algún incentivo para sostener la motivación en su hijo.

Me refiero aquí a las recompensas invisibles, tales como:

- elogio continuado mientras continúa tratando bien a su hermana menor;
- la percepción de su hijo de que es verdad que obtener un B+ provoca mayor placer que un C−; y
- los momentos agradables alrededor de la mesa, con bromas incluidas, en lugar de discusiones acerca del uso de los cubiertos.

Como ya he dicho, a veces los niños necesitan un incentivo para sobreponerse a la carga de tener que abandonar conductas poco satisfactorias y comprobar lo positivo de comportarse correctamente. Por lo general, luego de un corto lapso, las ventajas se tornan tan obvias que muchas de las conductas problemáticas cesan. Su hija, que solía morderse las uñas, finalmente se da cuenta de lo bien que luce una pincelada de esmalte rosa sobre sus uñas recientemente crecidas. Sus niños, que antes de las recompensas no podían compartir, ahora ven qué placentero resulta tener el doble de juguetes para disfrutar. Su hijo, el que era propenso a las caries pero ha aprendido finalmente a cepillarse los dientes con regularidad, puede visitar al dentista sin experimentar trauma alguno.

Las conductas pueden convertirse en permanentes por la sencilla razón de que conllevan su propia recompensa.

¿Pero qué ocurre si no es así? ¿Qué sucede si su hija vuelve a morderse las uñas, si persisten las riñas entre hermanos, o el cepillo de dientes permanece seco? Los malos hábitos no desaparecen fácilmente, y puede ser que usted tenga que ir por una segunda vuelta aplicando un nuevo plan. A lo largo del tiempo, con su aliento y estructuración, y con el agregado de incentivos para endulzar el camino, los Planes de Recompensas implementados por una actitud coherente y comprensiva por parte de los padres, resuelven un gran número de los problemas que se presentan en la infancia.

PROBLEMAS PERSISTENTES: QUÉ OCURRE CUANDO EL PLAN, LISA Y LLANAMENTE, NO FUNCIONA

En algunas ocasiones, el Plan de Recompensas simplemente no funciona. Podría no ser el momento adecuado. Quizá su niño necesite una intervención de otro tipo. Usted necesitaría encontrarse en un estado diferente. Tal vez la recompensa es demasiado pequeña. La conducta puede estar demasiado arraigada para modificarse rápidamente. Puede que la atención que recibe su hijo no sea suficiente. Es probable que el ambiente familiar esté demasiado cargado de tensiones como para que los miembros de la familia se sientan con ánimo de complacer a otros. Usted deberá esperar hasta que se produzca un cambio en los factores clave antes de realizar un nuevo intento.

Mientras tanto, las siguientes áreas son las que usted debe tratar de mitigar cuando parece que el plan no despierta la reacción deseada. Esta lista no constituye una novedad total: ya me he referido brevemente a estas cuestiones en los tres primeros capítulos. No se trata de una caja de herramientas para reparar la situación, pero confío en que le será de utilidad para ayudarlo a examinar estos factores uno por uno para saber dónde se encuentra parado. Si consigue reconocer lo que no marcha bien, es más que probable que el próximo Plan de Recompensas sí funcione.

★ La Recompensa No Es Lo Bastante Atractiva ★

Este es el problema más fácil de detectar, pero es increíble con qué facilidad se comete un error de cálculo. Al comienzo, un pequeño puede alegrarse con sus estrellas, y luego, a mitad del camino, perder interés, sin darse cuenta de que existen otras opciones. ¡Puede obtener también una recompensa! A menudo nuestros hijos alcanzan puntos de madurez que no llegamos a percibir, por lo cual nos embarcamos en suposiciones que han dejado de ser correctas.

Margarita observaba a Cristina, su hija de 5 años, colocar su primera estrella sobre el gráfico. Al terminar el día, Cristina había limpiado su mesa de manualidades.

– ¡Qué lindo! – dijo Cristina, con una sonrisa de satisfacción. Margarita también se sentía feliz. A la noche siguiente, Cristina colocó otra estrella – de otro color – con orgullo. – ¡Mira! – exclamó.

– Es hermosa. Lo estás haciendo muy bien – sonrió Margarita.

En la tercera noche, Cristina olvidó la estrella. Sin más ni más. Margarita le recordó que había que limpiar, y Cristina, sin replicar, se puso de pie, guardó sus crayones, y luego colocó una estrella junto a las dos anteriores. Asintió con la cabeza, satisfecha. – ¡Grandioso! – dijo Margarita.

A la cuarta noche, Cristina se negó a limpiar.

– ¡Pero Cristina! – exclamó su madre. – ¡Mira esa hilera de estrellas tan bonitas!

Cristina las contempló largamente.

– Las estrellas están bien... – dijo quedamente. – Mañana guardaré mis cosas.

A Cristina le gustan las estrellas. Pero es un poco mayorcita como para que le produzcan tanta excitación. Su madre habría tenido más éxito de haberle ofrecido una nueva caja de utensilios artísticos como corolario de la hilera de estrellas.

★ Su Hijo Es Demasiado Pequeño, Eso Es Todo ★

Piense en las implicaciones de este plan: gratificación demorada. Perseverancia. Capacidad de comprender el paso del tiempo. Paciencia. Motivación interior. Capacidad para reconocer las recompensas invisibles que se presentan en el camino. Autocontrol.

¡Dios mío! Es mucho pedir. El hecho de que su niño de dos años cumpla los tres la semana entrante no significa que, por arte de magia, vaya a dejar atrás el negativismo propio de la edad anterior y ya esté preparado para colaborar con usted. Si su hijo se siente claramente frustrado, incapaz de comunicarle que no ha ganado suficientes estrellas, o no se da cuenta de por qué todavía no se le ha dado la torta acaramelada, lo más probable es que simplemente no comprenda de qué se trata. Usted ha introducido un juego que no corresponde a su etapa evolutiva. De modo que pierda un turno y vuelva a probar más adelante.

★ En Este Momento, La Conducta Es Demasiado Fuerte Para Intentar Modificarla ★

Quizá usted espera demasiado. Si acaba de traer un nuevo bebé a casa y su hijo de 5 años deja de recoger sus juguetes, puede que este no sea el momento de intentar modificar su conducta por medio de un Plan de Recompensas. Para empezar, es normal que su hijo mayor sienta celos, esté de malas, y desee actuar como si fuera menor. Usted no puede cambiar lo que siente. Además, al tratar de modificar su conducta, no dará en el clavo respecto de lo que el niño realmente necesita: pasar tiempo con usted. En otras palabras, existen ocasiones en las cuales una conducta difícil proviene de sentimientos a los que hay que atender antes de que la conducta esté en condiciones de desaparecer. Si usted trata de anularla sin ocuparse de los sentimientos que la impulsan, lo más probable es que sea reemplazada por una nueva conducta indeseable. Este es otro de los casos donde un enfoque estrictamente conductista no funciona. A veces, es necesario tener en cuenta al niño como una totalidad en el contexto de su propio mundo, y no sólo observar la conducta que exterioriza.

★ Otros Miembros De La Familia No Acuerdan Con El Plan ★

Es posible que usted tenga la fuerza de ajustarse al plan, pero que su pareja esté demasiado agobiada y, que cuando queda sola con su hija, no tenga energía para hacer cumplir las reglas. Cuando se presenta una situación de estas características, que el plan funcione queda librado a la suerte. Su hijo puede encontrar el modo de exigir una estrella cuando no la merece o, simplemente, quedar tan confundido por la naturaleza errática del plan que optará por abandonar. Si esto sucede, usted tendrá que volver sobre sus pasos y lograr el consenso de todos los adultos de la casa.

★ Usted Intenta Modificar Conductas Que Otros Miembros De La Familia Practican ★

Catalina llevaba cinco días implementando el plan a fin de que su hijo Teodoro (8 años) dejara de decir malas palabras. Venía funcionando de maravillas. Pasados cinco días más, Teodoro se haría acreedor a tres mazos de cartas con figuras del baseball.

Catalina y su esposo, Guillermo, acababan de sentarse a cenar cuando Guillermo derramó un vaso de agua por accidente. Había tenido un mal día con su jefe, y explotó con un "¡M...!" en voz tan alta que se podía escuchar en la China.

– ¡No es justo! – anunció Teodoro. Se volvió a Catalina, clavándole una mirada acusadora. – Si él puede, yo también.

Guillermo trató de explicar. – Tuve un mal día. Su voz sonaba exhausta y no mostraba mucha convicción. Catalina notó que parecía haber olvidado el gráfico por completo.

– Yo tampoco lo pasé bien en la escuela hoy – replicó Teodoro. – Fue un día de m....

Catalina lanzó un suspiro.

Lo mejor que se puede hacer cuando uno de los padres u otro modelo de función actúa la conducta que usted trata de erradicar es explicar que, en su opinión, el adulto en cuestión está equivocado. Por cierto, puede subrayar que dicho adulto es una gran persona, pero que todos tenemos la posibilidad de mejorar. Catalina podría decir: "Papá no tendría que haber usado esa palabra. Pero tuvo un día terrible, y se le escapó. Hace muchos años, aprendió un mal hábito, y no queremos que a ti te suceda lo mismo. Los malos hábitos son muy difíciles de cambiar, y cuanto antes empieces a hacerlo, más sencillo te resultará". Y si Guillermo deseara realizar el esfuerzo de modificar *su* conducta, también podría tener su propio gráfico y correspondiente recompensa.

★ Su Hijo Se Ha Acostumbrado A La Atención Negativa ★

Existen infinidad de razones por las cuales un niño exhibe malas conductas y luego experimenta satisfacción ante la reacción negativa de los padres. Es posible que no reciba suficiente atención por las cosas que hace bien, y entonces encuentra placer en cualquier tipo de interacción que la involucre a usted. Si para ello hace falta dar un paso en falso, pues se lo obsequiará. También podría tratarse de una reacción ante las tensiones familiares. Si hay problemas entre usted y su pareja, o entre usted y otro de sus hijos, el niño a quien está dirigido el plan tal vez esté tratando de tomar sobre sí una parte de la presión que se genera. Lo mejor sería evitar que este niño dirija hacia sí mismo una parte del negativismo reinante, pues esto es lo que hace antes de permanecer pasivo, observando cómo los demás se enzarzan en discusiones interminables sin poder remediarlo. Puede llegar a la conclusión inconsciente de que, si se comporta bien, contribuirá a que los demás desvíen su atención de ella y vuelvan a sumergirse en los conflictos que soplan a su alrededor.

★ Su Hijo No Tolera Nada Que Huela A Control ★

Algunos niños muestran una fuerte resistencia a todo lo que les haga experimentar la sensación de que se los está controlando. En verdad, es difícil evitar el aspecto del plan que conduce a "si tú haces esto, yo haré lo otro". Frente a un niño de estas características, lo mejor es permitir primero que la idea del Plan de Recompensas se desvanezca. Dígale a su hijo: "Muy bien. ¿Sabes qué? Tú tienes el control. No tenemos que hacerlo". Luego, cuando haya transcurrido algún tiempo, vuelva a mencionar la idea, *pero no le dé un nombre*. En cuanto escuche un nombre, su hijo la verá como algo que usted ha creado. En lugar de ello, juegue con la capacidad de su hijo de tomar una decisión independiente coronada con un resultado placentero.

"Arturo, sé que realmente tienes muy buena memoria, y me sorprende que cometas tantos errores de ortografía. Debes odiar el tener que estudiar esas palabras difíciles, pero tampoco te veo muy contento con tus notas. Mira, es tu decisión. Si obtienes un 85% como mínimo en tres de las cuatro próximas evaluaciones, puedes ganarte algo... ¿tal vez elegir un postre para tu canasta de almuerzo durante una semana? Repito, tú decides. Cuándo sepas qué quieres hacer, dímelo".

Cuanto más independiente se sienta su hijo, más probabilidades habrá de que se amolde.

EN RESUMEN

Lo bueno del Plan de Recompensas es que, mediante su implementación, usted llegará a saber muy bien qué funciona y qué no. Todo lo que le presentado hasta este momento es teórico e instructivo. Pero usted debe apropiárselo. Tiene que armarlo, experimentarlo, ver qué funciona y qué no, y aprender con la práctica.

No existe una manera única y perfecta para llevar a cabo el plan, y es bueno que así sea. Al principio del libro, afirmé que mi conflicto con las técnicas conductistas reside en que a menudo hacen a un lado la maravillosa naturaleza idiosincrásica del ser humano y los modos en los cuales interactúa con su medio. Su hijo es único. Por lo tanto, el Plan de Recompensas que funcionará para usted y para su hijo diferirá de otros casos.

Y esto nos trae quizá a la más importante de las recompensas invisibles: el Plan de Recompensas requiere que usted realmente *conozca* a su hijo: cómo piensa, qué lo entusiasma y qué le produce rechazo, así como la mejor manera de motivarlo. También requiere que usted se conozca a sí mismo: sus límites, el estilo de padre que es, sus ideas preconcebidas respecto de lo que su hijo *debe* ser, en oposición a lo que es. Finalmente, el plan compromete a ambos en dirección a una meta rebosante de buena voluntad. Tienen que conectarse. Tienen que reconocer. Conlleva un placer compartido.

De muchas maneras, el Plan de Recompensas no sólo modificará conductas indeseables. Puede modificar de manera sumamente positiva el modo de relación entre usted y su hijo, creando un clima de mayor confianza y comprensión.

En verdad, qué espléndida recompensa para ambos.

PARTE II

Pasemos A La Acción:
Modelos De Planes De Recompensa

Introducción

Hasta el momento, los breves ejemplos que ha leído le han proporcionado una idea de cómo funciona un Plan de Recompensas. Ahora quisiera acercarle una comprensión más detallada de cómo desarrollar su plan y llevarlo a la acción.

Los modelos desarrollados en la Parte II están organizados en capítulos donde se tratan siete de los desafíos más comunes que los padres deben ayudar a sus hijos a enfrentar:

- llevarse bien con otros
- respetar los horarios
- vencer problemas relacionados con el sueño
- establecer hábitos de higiene
- llevarse bien con sus hermanos
- hacer las tareas
- reducir la angustia provocada por la tarea escolar

En cada capítulo, usted encontrará una descripción detallada de algún problema de conducta que, seguramente, le resultará familiar (por ejemplo, un niño nervioso que no puede dormirse sin compañía). A continuación, verá cómo los padres del niño arman un Plan de Recompensas que se adapta a la edad y personalidad del niño. Verá que los padres primero conversan con el niño acerca del problema (¿Qué pensamientos lo atemorizan cuando está solo en su habitación?) Luego los padres describen los detalles del plan (el padre o madre se sienta en una silla y la va alejando del cuarto del niño), y explica qué gráfico y recompensa han elegido usar (el gráfico de La Caza del Tesoro, junto con una pequeña cantidad de "tesoros" como recompensa). Finalmente, observará como se desarrolla la acción y conocerá las recompensas invisibles que padres e hijos disfrutan juntos (de pronto, el niño encuentra placer en sentirse mayorcito y ser capaz de tranquilizarse por sí mismo).

Luego siguen dos descripciones más breves de Planes de Recompensas destinados a otros problemas, de modo tal que cada capítulo cubre las áreas de preocupación más típicas para cada categoría de problemas. Finalmente, he incluido una lista mínima de desafíos adicionales que se prestan a la aplicación del Plan. De modo que, si los ejemplos no incluyen exactamente la conducta que usted desea modificar, no deje de consultar las listas.

Esto me trae a una cuestión importante.

Los planes aquí presentados pueden funcionar exactamente como se los describe, pero es altamente probable que usted tenga que incorporar sus propias ideas para adaptarlos a las necesidades de su propio hijo.

Los modelos de Planes de Recompensas de este libro muestran niños dentro de una gama de edades, temperamentos y contextos familiares. Su propósito es ofrecer una suerte de buffet donde usted pueda elegir entradas (cómo dirigirse a su hijo), platos principales (los detalles del plan), y postres (ideas para recompensas) que satisfagan sus necesidades específicas. Elija aquellas ideas que, a su criterio, beneficiarán *a su hijo en particular*, pues en el fondo, estos planes constituyen herramientas para la motivación.

Por ejemplo, su hijo de 5 años puede tener el mismo problema que Olivia, de la misma edad, presenta en el capítulo 6: no puede dormir de un tirón si usted no está con ella. Pero si el temperamento de su hija difiere del de Olivia, tendrá que modificar los pasos del Plan de Recompensas. Tal vez su hija de 8 años se resista a ir a la cama como Eric (10 años), pero puede que la resistencia de su hija no se relacione con la llegada de un nuevo padrastro al hogar; ahí necesitará adaptar su enfoque para encarar la razón de su resistencia.

Así como los niños difieren en cuanto a personalidad y al modo en el que reaccionan a las reglas impuestas por sus padres, los adultos también reaccionan de maneras diferentes respecto del tipo de conductas que están dispuestos a tolerar en los niños. Para algunos padres el lavado diario es de alta prioridad, mientras que otros piensan que el cabello reluciente no vale el gasto de tanta energía en el papel familiar. Dado que el diseño de un Plan de Recompensas involucra gran esfuerzo de su parte, usted necesita reservar sus energías para las conductas que le resultan más problemáticas.

En ocasiones, dos o más hermanos comparten conductas difíciles de corte similar, y hay veces en que familias enteras enfrentan retos comunes a todos. En los Modelos de Planes de Recompensas, he incluido ejemplos de cómo usted puede armar un plan para que dos hermanos trabajen en colaboración. El capítulo 5 muestra cómo un plan muy bien pensado ayuda a Carla y Alfredo a abandonar su conducta matinal dilatoria, y el capítulo 8 describe un Plan de Recompensas que contribuye a una mejor relación entre hermanos mediante la oferta de incentivos a la conducta considerada y castigos por incurrir en interacciones que implican daño. En el capítulo 9, mamá y papá participan en un plan familiar cuyo objetivo es que las tareas del hogar se realicen de manera más eficiente y placentera.

Los modelos de Planes de Recompensas ofrecidos en los Capítulos 4 a 10 utilizan una variedad de gráficos para monitorear los progresos. Hasta cierto punto, la elección del gráfico queda librada a su criterio. Si usted está siguiendo un modelo de Plan de Recompensas al pie de la letra, probablemente utilizará el gráfico que acompaña al Plan para asegurarse de que lo está poniendo en práctica tal y como viene. Pero también puede decidir elegir un gráfico más adecuado al grupo social de su hijo, o uno que le parezca más atractivo para las circunstancias. Recuerde, sin embargo, que si su plan contempla un castigo por mala conducta, debe elegir un gráfico que le permita llevar cuenta de marcas o puntos negativos. La Parte III contiene más asesoramiento acerca de la selección de gráficos, y en la sección de Separables (al final del libro) encontrará gráficos listos para usar a fin de que pueda comenzar rápidamente con el Plan.

El enfoque propuesto por el Plan de Recompensas también le permite elegir de entre una amplia variedad de tamaños y tipos de recompensas. Siempre que ello sea posible, lo mejor es optar por una recompensa pequeña. Verá que Alex (4 años) consigue dejar de arrebatar los juguetes de otros niños mediante la recompensa mínima de stickers de dinosaurios que puede distribuir en el gráfico Tierra de los Dinosaurios. No obstante, Katia (7 años), necesita el incentivo de una bicicleta nueva para motivarla a que sacrifique tiempo de juego con sus amigas y se concentre en las clases de apoyo que la ayudarán a superar sus problemas de lectura.

No olvide que estos planes le son ofrecidos como *modelos*. No se desanime si la primera vez que intenta implementar un Plan de Recompensas, no resulta tan victoriosa como los que acá se describen. En realidad, usted tendrá que sortear algunos escollos mientras busca el mejor modo de poner un Plan en práctica. Si falla en su primer intento, tal vez deba leer varios capítulos más de planes modelo para encontrar otras ideas. Por ejemplo, si usted se encuentra desarrollando un Plan de Recompensas para su hija de 5 años, sería conveniente que leyera varios planes destinados a niños de la misma edad. O, si su hijo es particularmente nervioso o impulsivo, no estaría de más revisar planes que involucran a niños con características temperamentales parecidas. Y recuerde volver a leer la sección dedicada a aligerar los problemas en el Capítulo 3 si persisten las dificultades al tratar de implementar un plan exitoso.

Con algo de esfuerzo de su parte, y tal vez con algunas enmiendas sobre la marcha, los beneficios que le proporcione su Plan de Recompensas deben superar con creces el trabajo al que usted se compromete cuando decide armar un plan. Tanto para usted como para su hijo, es una sensación maravillosa la que se experimenta al encontrar el modo de salirse de situaciones en las que se encontraban estancados. El superar un problema de conducta de una vez y para siempre o, simplemente, lograr algunas semanas o meses de mejor conducta, fomenta la autoestima general al tiempo que demuestra que cuando se trabaja sobre un problema, el cambio es posible.

Y si las mejoras no tienen carácter permanente, es necesario acudir al reciclaje. Simplemente elija un nuevo gráfico, o elija otra recompensa. Esto es lo maravilloso del Plan de Recompensas.

Escuche a su hijo. Si dice: "Bueno, ¿pero podemos hacerlo de este modo?", piénselo. Podría resultar excelente. Es también una forma de decirle a su hijo: "Quiero ayudarte para que lo hagas bien a tu modo".

¡Qué enfoque respetuoso para enseñárselo a su hijo!

Este libro es acerca de usted y su hijo, trabajando juntos en dirección a un objetivo que ambos comprenden, unidos por la motivación para lograrlo. Ambos deben apropiarse del plan y disfrutar ampliamente de los resultados... juntos.

Entonces, elija la situación que provoca el problema más serio en la conducta de su hijo, busque en este libro el plan que mejor la representa, y comience.

¡Todo lo que sigue está libre de sobornos y es *muy* gratificante!

"¡HAS DEJADO DE SER MI AMIGO!"

LLEVÁNDOSE BIEN CON LOS DEMÁS

Somos seres sociales. Todos deseamos y necesitamos acercarnos a otros, ser comprendidos, apreciados, y amados. Desde el momento del nacimiento, su hijo ha buscado conectarse con usted, respondiendo al contacto físico, luego siguiéndola con la mirada, después sonriendo...

¿Recuerda el placer que ambos experimentaron la primera vez que jugaron a "acá tá – no – tá"*, o que palmearon juntos? Se estaban conectando. Usted le demostraba a su hijo cuánto significaba para usted, al tiempo que lo alentaba a compartir el momento. Sucedía con tanta naturalidad, y era tan excitante.

Por supuesto, a medida que su hijo crecía, también aumentaba su conciencia de lo social. Ya no se trataba sólo de usted y él. Había otras personas en el mundo con quienes tenía que relacionarse. Y antes de que se percatara de ello, ya había ingresado al territorio de las normas sociales. Ahora se espera que siga ciertas reglas. Que no piense sólo en sí mismo. Que interactúe con una pizca de respeto por los demás.

Mientras la personalidad única y singular de su hijo comienza a expresarse de modo cada vez más evidente, aumenta también el conflicto entre las normas sociales y una personalidad natural, "no socializada". En nuestros días, el "menú" de conductas de muchos niños incluye lanzarse sobre los objetos y arrebatarlos, chillar, quejarse, y exigir. Los "platos del día" suelen ser el apoderarse de juguetes sin pedirlos, empujar a otros niños cuando se interponen en el camino, y exigir que los demás "hagan lo que yo quiero". Es también posible que su hijo, un alegre rayito

---

*Juego en el que la madre (por lo general) cubre su propio rostro o el del bebé y exclama "¡No tá!", para descubrirlo inmediatamente y exclamar "¡acá tá!". El lenguaje es una deformación de las palabras "no está" y "acá está", y a medida que el bebé crece este juego suele practicarse con otros objetos, tomando el niño la parte activa y la imitación del lenguaje. [N. de la T.]

de sol cuando se encuentra a solas con usted, empalidezca y se oculte en las sombras cuando aparecen personas que no conoce. Los Planes de Recompensas ayudan, inclusive cuando los problemas de socialización son propios de la edad.

Si usted pertenece al común de los padres, probablemente se desalentó cuando las conductas socialmente indeseables hicieron su aparición. Hasta puede haber pensado: "¿Qué le ocurre a mi hijo? ¿Por qué no puede ser amable? ¿Quién lo va a encontrar querible? ¿Cómo se las va a componer para tener amigos?" Pero luego habrá pensado en enseñarle. Paso a paso, podía mostrar a su hijo cómo relacionarse con los demás.

Aunque pareciera que la socialización es más fácil para algunos niños que para otros, no es algo que advenga naturalmente. Los niños pequeños son, lisa y llanamente, demasiado egocéntricos como para pensar en lo que otros sienten o necesitan, y carecen de la experiencia suficiente para percatarse de que si no comienzan a tener en cuenta estos factores, les aguarda un futuro con muy pocas posibilidades de juegos compartidos. Es verdad que investigaciones recientes indican que la capacidad para mostrar empatía comienza a la edad en que los niños aprenden a caminar...pero ello no significa el comienzo simultáneo de la voluntad de dejar de lado las propias necesidades.

Quizá usted tenga un niño tímido a quien le cuesta acercarse a los demás, o uno que se aferra a los otros hasta el punto de resultar grosero, o uno cuya falta de flexibilidad natural le dificulta el moderar sus conductas. Tal vez es muy agresivo y golpea primero cuando está disgustado, o es tan sensible que suelta lágrimas ante la más mínima broma.

Estas reacciones son difíciles de cambiar. Y es por ello que el Plan de Recompensas puede ser tan eficaz. Por cierto, es buena idea practicar regularmente el hábito de hablar con su hijo acerca de cómo se siente en situaciones de la vida social, y preguntarle qué piensa que sienten los demás. Está bien alentarlo a que se ponga en el lugar del otro. Y, por supuesto, usted querrá hablar con su hijo si presiente que, en sus intercambios con otros, se han herido sus sentimientos, y ayudarlo a encontrar el mejor modo de protegerse.

Pero junto con estas rutinas, habrá momentos en que necesitará motivar a su hijo para que haga lo correcto. Un niño temperamental, impulsivo, demandante, o agresivo querrá ser quien manda, o quedarse con los mejores juguetes, y punto. Necesitará ayuda para ir "soltando". En el extremo opuesto, el niño cuyo temperamento retraído permite que sus ansiedades interiores rijan su conducta sólo se abrirá hacia el afuera si se lo alienta a hacerlo mediante una recompensa tentadora.

Por supuesto, lo que ninguno de estos niños percibirá, hasta haber experimentado los resultados, es que la interacción social placentera constituye una recompensa en y por sí misma.

Observen a un niño de 4 años que compartió un juguete de buen grado rodeado súbitamente por el abrazo espontáneo de su amiguito. Placer puro.

Si bien un niño pequeño puede no darse cuenta inmediatamente de la conexión existente entre las conductas sociales que demuestran consideración hacia los demás y el hecho de ser aceptado por sus pares, usted puede comenzar a ayudarlo a ver que una cosa lleva a la otra. La recompensa lo impulsa a ensayar conductas nuevas. Luego tendrá usted la oportunidad de reflexionar con él acerca de los resultados positivos.

Llegará el momento en que la mayoría de los niños se sentirán tan complacidos con los resultados de su vida social que desearán seguir adelante aún cuando cesen las recompensas. Un plan de recompensas les dará ese empujoncito extra que les hace falta para descubrir las alegrías que nos proporcionan el tratar a los demás con respeto y estima.

> El presente capítulo contiene un modelo exhaustivo de un Plan de Recompensas destinado a
> * un niño de 4 años que arrebata los juguetes, sumado a planes más breves para
> * un niño de 7 años que golpea y empuja a otros, y
> * una niña de 9 años cuya timidez le impide saludar a personas que no conoce.

¡LOS JUGUETES NO SE ARREBATAN!

A Alex (4 años) le encanta ir a jugar a las casas de sus amiguitos o recibirlos en la suya. Por otra parte, ellos no siempre lo sienten bienvenido. Cuando Alex desea un juguete que no le pertenece, simplemente lo arrebata. "¡Déjame jugar!" – dice perentoriamente, y luego se desentiende de las protestas consiguientes.

En realidad, actúa como si los juguetes ajenos le pertenecieran por derecho. Alex no parece comprender por qué sus amigos se molestan, se enojan, o lo golpean. Sólo piensa en la diversión que le proporciona este juguete en particular, sin detenerse un segundo a considerar cómo se sienten sus amigos.

Magdalena, su mamá, ha tratado de enseñarle a expresar verbalmente que le agradaría jugar con un determinado juguete. A menudo ha sugerido la regla de los 5 minutos, que permite que un niño use un juguete durante 5 minutos y luego lo intercambie por otro. Cada vez, antes de que Alex se reúna a jugar con sus amiguitos, le recuerda que debe compartir, y no arrebatarle un juguete a otro niño como si tal cosa. Primero debe preguntar: "¿Puedo jugar con eso ahora?" y, si le dicen que no, Magdalena le sugiere responder: "Bueno, pero podemos cambiar en 5 minutos para que yo también pueda jugar con ése?"

– "tá – bien" –, asiente Alex dócilmente, pero pasados 30 minutos, Magdalena oye gritos provenientes de la habitación contigua. Allí encuentra a Alex, sentado, con una mirada entre confundida y contrariada, aferrando un juguete que, evidentemente, ha arrancado de las manos de su ocasional compañero de juegos.

Lo cierto es que Magdalena ya no soporta la situación. También ha notado que cada vez menos padres llaman para que sus hijos jueguen con Alex. Es ella la que tiene que telefonear, y las más de las veces oye un tono vacilante en la voz de su interlocutor.

Le preocupa que Alex esté arrebatándose a sí mismo el acceso a la vida social y tomando el camino del exilio.

★ Primero, Hable Acerca De Ello ★

Inmediatamente antes de que comience el próximo encuentro para jugar, Magdalena se sienta con Alex y le dice que sabe que se siente muy feliz de pasar la tarde con su amiguito. Le comenta que es muy divertido jugar con otros niños y que a ella le parece genial que Alex lo haga.

Como Alex disfruta de las historias, Magdalena decide inventar una en la cual Alex es el protagonista. Su propósito es aconsejarlo, juguetonamente, para que mejore su interacción social. Luego de haber ideado una historia sencilla, se la lee:

Alex es un guapo muchachito a quien le gusta jugar con sus amigos. Cuando vienen a su casa, los amigos traen sus juguetes. Alex quiere jugar con el dinosaurio de uno de sus amigos. Pregunta: "¿Puedo jugar yo ahora?". Su amiguito responde: "No; es mío". Entonces Alex dice: "¿Puedo jugar con él en 5 minutos?". El otro niño está de acuerdo. Alex corre a contarle a su mamá que podrá jugar con el dinosaurio en 5 minutos. Cuando le toca el turno, Alex le trae uno de sus propios dinosaurios a su amigo y dice: "Es hora de cambiar". ¡Ahora Alex y su amigo pueden divertirse jugando con animalitos diferentes!"

Alex sonríe y dice: "¡Oia, se parece a mí!" Magdalena sonríe y responde: "Se me ocurre una idea para que tus juegos con tus amigos sean más divertidos. Mi plan te va a ayudar a jugar por turnos".

Alex está encantado. – ¿Qué es? – pregunta.

– *¡La Tierra de los Dinosaurios!* – gorjea Magdalena.

★ El Plan De Recompensas ★

Magdalena separa una plancha con stickers de dinosaurios y los apoya sobre la mesa.

Explica que, durante el juego, cuando Alex quiera un juguete, debe *pedirlo* y no simplemente apoderarse de él. – Pero, ¿qué pasa si no me lo quiere dar? – inquiere Alex. – ¿Recuerdas lo que hizo el Alex de la historia? Le preguntas si te lo puede dar en 5 minutos, y vienes a pedirme que controle el tiempo – responde Magdalena.

Alex queda conforme y extiende la mano para tomar la plancha.

A Alex le fascinan los animales de todo tipo, especialmente los dinosaurios. Magdalena le muestra el gráfico de La Tierra de los Dinosaurios (*para tomar uno listo para usar, ver la sección Gráficos Separables [No. 6] al final del libro*), y le explica a Alex que puede ganarse un sticker con un dinosaurio para pegar sobre el gráfico cada vez que recuerde pedir un juguete y espere a que su amiguito se lo dé. Alex mira el sticker del *Tyranosaurus Rex*. – ¡Éste es el que quiero primero! – exclama.

– ¡Perfecto! – aprueba Magdalena. – Sabes, Alex, creo que tendríamos que ensayar un poco para que recuerdes qué debes decirle a tu amiguito. Tú haces de Alex, y yo de Héctor, y jugamos a que él tiene un juguete que tú quieres. Magdalena toma un brontosauro. – ¿Puedes pedírmelo amablemente?

Alex lo hace, y Magdalena aplaude.

– Muy bien; sigo siendo Héctor – dice Melanie.
– *No; este dinosaurio es mío.*

Alex se ve confundido, y Magdalena le recuerda que debe responder: "Muy bien, pero ¿puedo jugar con él en cinco minutos?". Lentamente, Alex va repitiendo las palabras después de Magdalena.

Nuevamente en el papel de Héctor, Magdalena hace una pausa, y luego responde: "Bueno, si yo puedo jugar con el tuyo". Alex suelta una risita ante la actuación de su mamá en el papel de Héctor.

– Pero, pase lo que pase, – dice Magdalena – ¿Qué es lo que *no* debes hacer?

Alex sonríe. – Tomarlo.

– Correcto – aprueba Melanie. – Usa palabras.

LA TIERRA DE LOS DINOSAURIOS

★ Los Hechos ★

Para asegurar el éxito del plan, Magdalena decide ordenar y revisar cuentas cerca del área de juegos para así poder ver y oír lo que ocurre. Minutos después, nota que Alex ha comenzado a extender la mano hacia un juguete que sostiene su amiguito, de modo que se apresura a susurrarle discretamente: "¡Recuerda el sticker!". Alex deja caer la mano y le pregunta a su amigo si puede jugar con su juguete. Luego corre hacia Magdalena y pide pegar el sticker del Tyranosaurus Rex sobre el gráfico. Ella se lo da con un abrazo, y luego le sugiere que elija el próximo sticker que ganará.

Alex lo hace, corre a jugar nuevamente, y a los cinco minutos está de regreso, pues ha pedido otro juguete. Magdalena ríe para sí; no está para nada convencida de que Alex deseaba jugar con el estegosaurus de Héctor, porque él tiene uno igual, pero le permite tomar otro sticker. Le alegra que su hijo practique sus habilidades sociales recién adquiridas.

Durante esa primera tarde, jugando en este estilo, Alex gana 10 stickers. Sólo una vez olvida lo que debe hacer y arrebata un juguete. En ese momento, Magdalena entra para recordarle las reglas y agrega suavemente:

"Qué lastima, te perdiste un sticker, pero sé que pronto podrás ganar otro". Alex asiente plácidamente con la cabeza.

Cuando Héctor parte, Magdalena felicita a Alex por la forma hermosa y generosa en que ha jugado con su amiguito. Le pregunta si se dio cuenta de que Héctor se molestó sólo una vez. En realidad, no hubo gran disputa. Alex sonríe, feliz. – ¿Es una linda sensación, no? – pregunta Magdalena.

Él mueve la cabeza, indicando que está de acuerdo. – Sin chillidos – agrega solemnemente.

Antes de los dos próximos encuentros para jugar con amiguitos, Magdalena vuelve a leerle la "Historia de Alex", y nuevamente usan el gráfico. Para mantener vivo el interés de su hijo, Magdalena ha comprado un nuevo paquete de stickers con dinosaurios. Hacia el final del segundo encuentro, Alex comienza a olvidar pedir los stickers, aunque continúa pidiendo los juguetes de manera apropiada. Cuando su amiguito se va, Magdalena ofrece a Alex cinco stickers, equivalente al número aproximado de ocasiones en que éste ha pedido los juguetes con palabras. Alex los pega en el gráfico con una sonrisa, y Magdalena lo cuelga en el área de juegos a modo de suave recordatorio. También le concede una Medalla de Oro *(para tomar una en blanco, ver la sección Gráficos Separables [No. 14])*, sobre la cual escribe "¡Primer Premio por Saber Compartir!". Alex se siente muy complacido cuando Magdalena le ofrece un marcador amarillo para decorarla, y luego la pega sobre un trozo de cartón y la pasa por una cinta dorada para que Alex la pueda lucir alrededor del cuello.

La conducta social de Alex ha mejorado considerablemente. De cuando en cuando, todavía lo olvida y arrebata un juguete, pero cuando Magdalena interviene para ayudar a Alex y a su compañero de juegos a negociar, Alex acepta recurrir al lenguaje.

Un par de semanas más tarde, Raúl, un amiguito nuevo, viene a jugar. Resulta que Raúl aún no ha aprendido las habilidades que Alex adquiriera no hace mucho. Después de que Raúl le arrebata uno de sus juguetes, Alex entra corriendo a la cocina. – ¡A lo mejor necesita un sticker!" – le susurra a su mamá.

★ Las Recompensas Invisibles ★

Magdalena bien puede afirmar que Alex ha aprendido verdaderamente algunas habilidades nuevas. Es evidente que se siente más feliz durante sus juegos. Y, de manera gradual, nota que aumentan los llamados de otros padres para concertar juegos compartidos.

Magdalena se siente sumamente complacida con el éxito de Alex. Y está orgullosa de haber sido quien lo ayudó a lograrlo.

★ También Funciona Para... ★

Un Plan de Recompensas basado en un gráfico y stickers funciona bien cuando se trata de niños pequeños a quienes los entusiasman las recompensas sencillas. La oportunidad de crear su propia lámina de stickers realza su atractivo. Un plan de estas características alienta las conductas deseadas sin incluir castigos por las conductas que se desea erradicar, aunque es posible agregar algún tipo de consecuencia como enviar al niño "al banco" si hiciera falta. Las recompensas están claramente asociadas a la conducta deseada, dado que el niño las recibe en el preciso momento en que se comporta correctamente.

Usted puede también utilizar este tipo de programa para fomentar las siguientes conductas:

- decir "por favor" y "gracias" en lugar de "dame" seguido de silencio
- usar palabras en lugar de golpear y/o arrojar juguetes, y
- cerrar las puertas con suavidad en lugar de hacerlo de un golpe.

USAR PALABRAS EN LUGAR DE LOS PUÑOS

Alberto (7 años), hijo de Raquel y Javier, es un niño animoso. Ese es el lado positivo. Lamentablemente, interactúa con los otros niños por medio del físico, y muchos de sus amiguitos sienten que sus empellones son agresivos. Está un tanto excedido de peso y, como ocurre típicamente durante los años de escolaridad primaria, la crueldad se ha colado en el cuadro. Algunos niños del vecindario han comenzado a apodarlo "Globo".

A sus padres les preocupa que, sintiéndose cada vez más herido por las bromas al respecto, Alberto reacciona recurriendo a los golpes con mayor frecuencia. Su tendencia a comunicarse por medio de la acción física se va convirtiendo en agresividad. No hay duda de que esto va a empeorar las cosas. En los momentos en que se ve asaltada por sus mayores temores, Raquel tiene miedo de que su hijo termine sin un solo amigo.

★ Primero, Hable Acerca De Ello ★

Después de otro desagradable encuentro para jugar, y van..., Raquel encuentra a Alberto sentado en su habitación. Se ve muy abatido. – ¿Soy gordo? – pregunta el niño. Ella le sonríe comprensivamente y responde: – No, no lo eres. Eres un poquito más pesado que algunos de tus amigos. A tu edad, los niños se burlan de todo lo que es diferente. Agrega que es mezquino llamarlo "gordo", pero que los niños a menudo tratan de herir a otros diciéndoles cosas que saben que los van a hacer sentirse mal. Cuanto más demuestre que se siente herido, más probable es que persistan en la burla. Pero Raquel no omite decirle que los golpes y los empellones no ayudan, sino que pueden empeorar la situación, puesto que las conductas agresivas provocan respuestas del mismo tenor por parte de los demás. Le sugiere que un modo de resolver las cosas consiste en tratar de ofrecer un cumplido a sus amigos. Es difícil burlarse de alguien que acaba de decirte algo agradable. Por otra parte, Alberto sí necesita nuevas estrategias para responder a los insultos en caso de recibirlos. Le dice que a veces es bueno ignorarlos, y que otras, es necesario defenderse con palabras y expresar que a uno no le gusta que lo traten así.

★ El Plan De Recompensas ★

Reconociendo las dificultades de encontrarse en el lugar de quien tiene que operar un cambio, Raquel le presenta a Alberto el gráfico de Seguimiento *(para tomar uno en blanco, ver la sección Gráficos Separables [No. 2] al final del libro*). Le dice que si se esfuerza por no golpear a otros niños cuando vienen a jugar, su padre los llevará, a él y a un amigo, a un parque de diversiones. Raquel elige esta recompensa porque confía en que la excursión fortalecerá la relación con el amigo; ambos pensarán sólo en los magníficos juegos, y también será un paseo activo que involucrará al padre. Javier ha venido expresando su preocupación porque Alberto pasa mucho tiempo encerrado y hace poco ejercicio. A Raquel también le preocupa el peso de Alberto, sumado al hecho de que su conducta iracunda le ha hecho difícil unirse a otros niños para jugar a la pelota en la calle.

Raquel diseña el Plan de Recompensas de modo tal que sólo incluya encuentros para jugar en su propia casa, de modo tal que ella y su esposo puedan monitorear la conducta de Alberto. Sabe que, inclusive si alguna de las actitudes agresivas de Alberto se le pasa por alto, sus amigos vendrán corriendo a decírselo. Le explica a su hijo que puede ganar marcas en la primera columna del gráfico (a la que titula "¡Lo logré!") si se abstiene de golpear a quien se burle de él. Puede ganar una marca adicional en la misma columna si cambia de tema o dice: "No me gusta que me digas esas cosas. Córtala". (Hay una ilustración del gráfico de Alberto en la pág. 103 de la Parte III).

A fin de mantener el tono positivo del programa y de alentar a Alberto a que aprenda algunas conductas que lo harán más popular entre los niños, Raquel también le ofrece una marca extra por ofrecer un cumplido a un amigo. (Esta marca también será registrada en la primera columna). Conversa con Alberto acerca de las cosas positivas que puede decir a sus amigos. Alberto decide que puede cumplimentar a un amigo por su habilidad para jugar a un videojuego de moda, y a otro por su talento con la patineta.

Alberto recibirá marcas en la segunda columna del gráfico (que Raquel titula "¡Metí la pata!") si la emprende a los golpes o a los empellones. En la tercera columna del gráfico, registrará la fecha. Cuando Alberto haya jugado en casa con sus amigos cinco veces sin haber "metido la pata", o habiéndolo hecho una sola vez, y se haya ganado al menos 10 marcas en la columna "¡Lo logré!", Alberto se habrá ganado el paseo al parque de diversiones con papá y un amigo.

★ Los Hechos ★

Alberto de buena gana invita a un amigo a jugar, diciéndole: "Tengo un videojuego nuevo. Es muy divertido, y apuesto a que vas a ganar". Con gran entusiasmo, Raquel le da su primera marca (por hacer un cumplido) en la primera columna. Cuando el amiguito llega, Alberto le ofrece otro cumplido y corre a la cocina a contárselo a Raquel, quien observa que ya lleva 2 a 0.

Después de jugar dentro de la casa durante media hora, Raquel sugiere a los niños que salgan al patio a encestar pelotas. Como Javier está trabajando allí y puede mantener el oído atento, parece una buena oportunidad de jugar al aire libre. Llega otro amiguito, y Raquel supone que ahora sí es posible que Alberto se vea expuesto a una burla: no es bueno jugando al baloncesto. Llama a Alberto aparte, le dice que se ha portado muy bien, y le recuerda los objetivos a cumplir. Luego le cuenta a Javier lo que sucede para que se ocupe de monitorear el comportamiento de Alberto. Al tiempo, Javier escucha un insulto. Alberto guarda silencio por un instante, y finalmente dice: – ¡No me gustan esas palabras!. Javier nota que Alberto se ve un tanto abatido durante unos instantes, pero que luego se sobrepone y vuelve a unirse al juego. Los otros niños no lo molestan nuevamente, y Alberto pasa una media hora feliz correteando por el patio.

Finalmente entra a la casa y se dirige al gráfico en línea recta

– ¡Autitos chocadores! – murmura para sí mientras contempla el gráfico. Javier lo sigue y añade otras dos marcas a la primera columna. – ¡Bien hecho, muchacho! – exclama Javier, palmeándole la espalda.

Alberto no lo sabe aún, pero está desarrollando una herramienta excelente para mantener a raya la crueldad de los otros.

Actitud.

Mientras tanto, el parque de diversiones resplandece... lo cual, a la edad de Alberto, es como debe ser.

APRENDIENDO A SALUDAR A LOS ADULTOS

Tania tiene 9 años y es terriblemente tímida con los adultos que no conoce, pero tampoco le es fácil con los que sí conoce. No puede mirarlos a los ojos ni saludarlos. Cuando entra, si alguno se dirige a ella, inclina la cabeza y, entre dientes, susurra algo que suena parecido a "ajá"; luego se aleja tan rápidamente como le es posible. Es alarmante. Casi grosero.

Jimena, su madre, se da cuenta de que Tania debe sentirse muy incómoda, pero el saberlo no le evita su propia sensación de vergüenza. Es como si hubiera venido con una niña a quien no le han enseñado modales. Cuando se encuentran con Tania por primera vez, muchos adultos miran a la madre como preguntándole "¿Qué le ocurre a esta niña?". Jimena trata de conservar la calma, diciendo: "Tania es muy tímida", pero, en su interior, querría desaparecer.

Dentro de poco tendrá lugar una reunión familiar, y Jimena desea ayudar a que Tania se sobreponga a su ansiedad, por el bien de ambas.

★ Primero, Hable Acerca De Ello ★

Lo primero que hace Jimena es tratar de comprender mejor la timidez de su hija. Pide una entrevista con la psicopedagoga de la escuela, quien le explica que, en Tania, la timidez es un rasgo innato. Es algo que no puede evitar, y es real que se siente extremadamente incómoda en intercambios sociales con los que no está familiarizada. Las personas tímidas no lo son las 24 horas del día, y esto es lo que ha confundido a Jimena, pues la niña se muestra vivaz cuando comparte momentos con sus amiguitas. Lo que suele afectar a las personas tímidas es aquello que desconocen.

La psicopedagoga sugiere a Jimena algunas estrategias para ayudar a Tania, entre las que se encuentran las siguientes:

- ensayar algunas frases con Tania, por ejemplo: "Hola, mucho gusto" o, simplemente, "Hola", dicho en tono amistoso. Jimena hace que Tania espere en una habitación, luego entra, extiende la mano, y dice: "Hola, Tania". Repite la escena hasta que Tania suelta un "Hola" claro y audible, mirándola a los ojos. Mientras se desarrolla este ejercicio de funciones, Jimena se cuida de no decirle a Tania que, cuando aparta la mirada o no saluda, parece una niña grosera, pues esta observación sólo contribuiría a aumentar su angustia. En lugar de ello, Jimena hace énfasis en que el sonreír a alguien y saludarlo le dará a esa persona la oportunidad de notar lo agradable que es Tania.

- sugerir cosas que Tania puede hacer para aliviar su incomodidad en una habitación llena de personas desconocidas. Las personas tímidas a menudo sienten que todos los demás las están observando, y que así se dan cuenta de que se mantienen en silencio o de que tratan de pasar desapercibidas. Como quiera que sea, estas personas se sienten rígidas, incómodas, y perdidas. Jimena sugiere a Tania que se dedique a contemplar algún cuadro, que curiosee la comida servida en la mesa y que, si se siente bien así, le sonría a alguien. Un buen truco consiste en usar algo fuera de lo común que haga las veces de tema de conversación; por ejemplo, un collar o un cinturón con una hebilla inusual. Seguramente alguien le preguntará acerca de estas cosas, y Tania podrá hablar.

- asegurarse de que Tania sabe que Jimena la apoya. Puede circular con su mamá con la condición de saludar amablemente cuando la presentan a los demás invitados.

★ El Plan De Recompensas ★

Jimena le dice a Tania que si logra saludar a 10 personas mirándolas a los ojos en la reunión familiar que se aproxima, la recompensará con el paseo en canoa que ha venido deseando tanto. Para llevar la cuenta del número de veces en que Tania saluda correctamente, Jimena vestirá unos pantalones con bolsillos y pondrá un puñado de monedas en uno de ellos. Cada vez que vea a Tania saludando como lo han practicado, cambiará una moneda al otro bolsillo. También apoyará una mano sobre el hombro de su hija en señal de que ha ganado un punto. La mano también servirá para darle apoyo emocional a la tímida niña.

★ Los Hechos ★

Al principio de la reunión, Tania tiene algunas dificultades porque demasiada gente se acerca al mismo tiempo, y ella no sabe hacia dónde mirar. Pero a medida que otros adultos se le van acercando, sonrientes, y le hacen preguntas acerca de su brillante chal estampado a mano, la niña comienza a sentirse menos tensa, y las monedas emprenden su trayecto desde un bolsillo al otro. Después de verla sostener una conversación victoriosa, Jimena se inclina hacia ella y le susurra: – ¡Muy bien hecho! Después de esto, Jimena se percata de que la siguiente vez que le presentan a alguien, Tania habla en voz más alta y se ve más feliz. Dándose cuenta del valor del apoyo emocional que le proporciona, Jimena trata de decirle algo alentador cada vez que le es posible y sin que los demás lo noten.

Una semana más tarde, Jimena está en la canoa con Tania, rodeada por otras canoas tripuladas por perfectos desconocidos. – ¡Oye, eres buena en esto! – dice la madre de una niña desde la canoa vecina.

Tania aparta la mirada tímidamente y Jimena le murmura: – ¿Y si das las gracias?

Tania vuelve los ojos hacia la mujer y dice en voz alta: – Gracias. Es divertido.

Jimena está encantada. Tania ha creado su propio discurso.

Orgullosamente, Tania ofrece su rostro al sol. Se ha ganado su salida y ha llegado a hablar por sí misma. ¡Y la "salida" ha sido por partida doble!

CAPÍTULO 5

"APÚRATE, ¿QUIERES?"
MANTENIÉNDOSE DENTRO DEL HORARIO ESTABLECIDO

L os niños no dan importancia a las limitaciones impuestas por el tiempo. Quieren lo que quieren, en el instante en que lo quieren, y durante tanto tiempo como lo quieran. Están orientados hacia el presente. No les gusta que se les diga que ha llegado la hora de irse, cesar de hacer algo o comenzar a hacerlo, si no concuerda con sus propósitos del momento particular en que esto ocurre.

Tácitamente, suponen que hay tiempo de sobra para todo.

Sin embargo, cuanto más registran las consecuencias, tanto más les interesa mirar el reloj. Los niños mayorcitos, al darse cuenta de que tal vez tengan que permanecer en la escuela fuera de hora por alguna falta cometida, inclusive desean usar reloj de pulsera.

Lamentablemente, la mayor parte de los niños pequeños no advierten las consecuencias más sutiles, aunque no por ello menos desafortunadas, que acarrea el no respetar los horarios. No asocian su mal humor matinal al hecho de haberse acostado demasiado tarde la noche anterior, y no pueden percatarse de que, si ellos se retrasan, usted también, y que cuando usted llega tarde, su jefe se disgusta. En una palabra, a los niños no les divierte ni les importa respetar los horarios.

Sume a esto la infinidad de razones que asisten a los niños para no querer levantarse por las mañanas (¡se está tan cómodo en la cama!) ni ir a la escuela (el compañerito que se sienta en el pupitre contiguo no hace más que burlarse), ni llegar a casa a horario para la cena (los otros niños de la cuadra todavía están en la calle); así, las cosas se tornan realmente difíciles.

En virtud de honestos, a los adultos también les cuesta bastante mantenerse en horario. Y en la medida en que los horarios tienden a variar (una actividad postescolar termina media hora más tarde, o el verano detiene el impulso, o su jefe le pide que se quede una hora más), es necesario que usted esté armado de una flexibilidad considerable. Por lo general, los niños no ven ni aprecian lo flexible que usted es, y por cierto que, en este sentido, no lo imitan.

Desdichadamente, cuando se trata de la vida en familia, si uno de los integrantes rompe el horario, los demás suelen verse afectados. De modo que si sus niños se resisten a las exigencias impuestas por el reloj, es evidente que usted se encuentra frente a un problema que debe solucionar. Y no se soluciona de una sentada; es una larga tarea. Aunque los Planes de Recompensas a veces solucionan problemas de horarios de una vez y para siempre, a menudo será necesario que usted vuelva a presentar un plan, cada vez con un toquecito diferente. Ello se debe a que los niños encuentran muy difícil prestarle atención a la hora en lugar de dejarse llevar por su ritmo interno: implica un sacrificio mayúsculo. Para algunos, es casi como los trabajos de Hércules. Pero, al menos durante algún tiempo, el Plan de Recompensas adecuado puede aportar la solución.

> El presente capítulo contiene un modelo exhaustivo de un Plan de Recompensas para
> - dos hermanos de 6 y 8 años que se retrasan por las mañanas,
> sumado a planes más breves para
> - una niña de 7 años que se resiste a concurrir a clases de apoyo, y
> - un niño de 10 años que siempre llega tarde a cenar.

SUPERANDO LA LOCURA DE LAS MAÑANAS

A mediados de septiembre, Carla (8 años) y Alfredo (6 años), todavía tienen dificultades para encausar sus mañanas. Cada uno de ellos se "atasca" a causa de un problema diferente. Alfredo se viste muy lentamente, tomándose alrededor de 15 minutos para ponerse cada media, porque no puede evitar distraerse con cada juguete que se presenta a su mirada. Adriana, su mamá, ha tratado de convencerlo de que se vista en el baño, pero, aún así, no cesa de volver a su habitación una y otra vez. Carla no tiene problemas para vestirse, porque cada noche, antes de acostarse, elige cuidadosamente lo que se va a poner y lo deja preparado sobre una silla.

Pero le toma tanto tiempo decidir qué va a desayunar, y come con tal lentitud que Alejandro, su padre, piensa que él podría terminar una comida de cinco platos en la misma cantidad de tiempo. Una mañana, Adriana intentó seguir adelante y preparar un apetitoso desayuno, pero Carla lo rechazó de plano.

Para cuando los cuatro están listos, no hay quien no haya llorado, y no son precisamente lágrimas de felicidad. Este mes, Adriana y Alejandro han llegado tarde al trabajo tres veces a causa de las demoras de los niños. Esto tiene que terminar.

★ Primero, Hable Acerca De Ello ★

En la mañana del sábado siguiente, cuando no hay prisa por salir, Adriana y Alejandro se sientan con los niños.
– Papá y yo no hemos estado disfrutando de nuestras mañanas – comienza a decir Adriana – y creo que ustedes tampoco. No hacemos más que gritarnos.

Alfredo se mira los pies, y Carla se encoge de hombros.

– Me pregunto si hay una razón por la cual a los dos les da tanto trabajo prepararse para ir a la escuela. Alfredo, a ti, vestirte te resulta una tarea inmensa, y tú, Carla, no sabes qué hacer con tu desayuno.

Alfredo se ve un tanto tristón. Adriana sospecha que, en su caso, parte del problema reside en la adaptación involucrada en el pasaje del jardín de infantes al primer grado. La maestra impone muchas más reglas.
– Creo que este año las cosas en la escuela van a ser muy diferentes – le dice Adriana, comprensivamente.
– Apuesto a que no es fácil tener que obedecer todo ese montón de reglas.

Alfredo asiente con la cabeza. – El jardín de infantes era divertido – murmura entre dientes.
– Primer grado es difícil al principio – afirma Alejandro. – Es probable que el año pasado sintieras que la escuela era más bien algo como un juego. Pero ahora eres un niño mayorcito, y este año vas a aprender a leer. Y también vas a hacer algunos proyectos divertidos. En realidad creo que te acostumbrarás pronto. Y luego, volviéndose hacia su hija, dice: – ¿Carla?

– Yo estoy bien – responde ella alegremente. – Es sólo que... eh... me gusta pensar cosas mientras como. Tú sabes, cosas como mi libro de las princesas, y la muñeca con la nueva...

– Estás soñando despierta – dice Adriana, con cierta impaciencia.

– Mira – interrumpe Alejandro – mamá y yo terminamos por reprenderlos y gritarles, y a la hora en que logramos salir de casa, nadie está feliz. ¡Vaya manera de empezar el día! Pero hemos pensado algunas ideas para que todos podamos sentirnos mejor al prepararnos en las mañanas. Y si funcionan, creo que a ambos les va a gustar la sorpresa que queremos darles.

★ El Plan De Recompensas ★

Este plan tiene que tomar en cuenta a ambos niños. ¡Adriana y Alejandro se enfrentan a un doble problema!

Cada uno de los niños tiene puntos fuertes y débiles, y sus padres desean el éxito para ambos. En realidad, si es que todos han de salir a horario por las mañanas, Adriana y Alejandro *necesitan* que ambos niños lo logren. Deciden usar el gráfico "Diséñelo Usted Mismo" *(para tomar uno en blanco, ver la sección Gráficos Separables [No. 1] al final del libro)* y apuntar a tres cuestiones: que estén vestidos antes de las 7.30, que elijan su desayuno en 5 minutos, y que estén saliendo a las 7.50. Adriana y Alejandro se dan cuenta de que estos objetivos presentarán desafíos diferentes para sus dos hijos; entonces deciden estructurar el plan de modo tal que los niños tengan que ayudarse mutuamente para estar listos a tiempo. Así, optan por un gráfico único.

Alejandro les pregunta si puede tomarles una foto bostezando, para pegarla sobre el gráfico. La idea les encanta. Adriana sugiere darles estrellas por cada meta cumplida: rojas para Alfredo, y azules para Carla. Les explica que deberán ganar un total de 30 estrellas cada semana, o 15 cada uno.

En recompensa por ganarse las estrellas, Adriana y Alejandro les darán 2$ a cada uno y los llevarán a la tienda local de "todo – por – dos – pesos". Unen las recompensas con la esperanza de que los niños se motiven el uno al otro.

– Pero, ¿qué pasa si Alfredo no está listo? – insiste Carla –, ¿voy a poder ir a la tienda igual?

Conociendo a sus hijos, Adriana ya se esperaba esta pregunta. Si un día Carla gana todas sus estrellas pero Alfredo no, las consecuencias serán desagradables. Seguramente a Alfredo le dará una rabieta. Carla se enojará, pensando que, llegado el fin de semana, tendrá que esperar para ir a la tienda, y uno de los padres quedará igualmente empantanado. Si a uno de los niños no le corresponde ir, y al otro sí, Adriana o Alejandro tendrán que quedarse en casa.

Entonces a Adriana se le ocurre la idea de otorgar una Estrella de Oro por cooperación para mantener a los niños en línea si alguno de los dos tiene una mala mañana. Si uno de los niños corre el riesgo de no ganar una estrella, el otro puede obtener una Estrella de Oro ayudándolo. La Estrella de Oro compensará la estrella azul o roja perdida por cualquiera de los niños. De este modo, si cada uno se esfuerza y, además, trabajan en equipo, les será fácil alcanzar la meta semanal del total de 30 estrellas.

Deciden juntos que, si uno de los niños se atrasa, el otro puede preguntarle si necesita ayuda. Si el rezagado acepta y vuelve a encaminarse, obtendrá la Estrella de Oro. Así que aún cuando Alfredo no esté vestido a las 7.30 en punto, si acepta la ayuda de Carla, la Estrella de Oro les garantiza que no les faltarán estrellas. Los niños sellan el pacto estrechándose las manos.

Alejandro llama al gráfico "Diséñelo Usted Mismo" "Ganándole al Reloj por la Mañana" y hace un listado de las tres tareas que los niños han acordado realizar, escribiéndolas una debajo de la otra en la columna de rectángulos grandes que está en el costado izquierdo del gráfico. Agrega un ítem extra: "Ayuden al otro si hace falta". Luego, hace una lista de los 5 días de la semana sobre la grilla de cuadrados, y escribe, en la parte superior derecha, "Total de Estrellas", para así poder sumar cuántas estrellas ganan en el curso de una semana. A medida que cada niño gana una estrella, Alejandro o Adriana la coloca en el lugar correspondiente dentro del gráfico.

★ Los Hechos ★

El plan provoca mejoras significativas en la conducta matinal de los niños. Carla se pone a la altura del desafío y decide rápidamente su menú para el desayuno. Por cierto, reflexiona sobre ello mientras se viste, de modo que cuando llega a la cocina, ya sabe si comerá cereales, tostadas con huevo, o panecillos con queso crema. Alfredo también derrota al reloj. Durante los tres primeros días, se viste con bastante presteza.

Sin embargo, el jueves pierde una estrella por no estar vestido a tiempo, y ya le está por dar una rabieta cuando Carla le tira encima la camisa y se la pasa por la cabeza. En un primer momento, esto enoja a Alfredo, pero luego, cuando le hacen comprender que él y Carla han ganado una Estrella de Oro por cooperación, sonríe, a pesar de no haber obtenido su estrella roja por vestirse. Adriana le sugiere a Carla que, si la situación se repite, piense en ayudarlo de otra manera; entonces, esa noche, Carla prepara la ropa de Alfredo al igual que lo hace con la suya propia. Resplandece de orgullo por la gran idea que se le ha ocurrido. El viernes, Alfredo está nuevamente en el buen camino.

El sábado por la mañana van a la tienda.

El plan funciona bien durante tres semanas. Hacia el final de este período, Carla y Alfredo comienzan a olvidarse de las estrellas. Tampoco les excita tanto la excursión a la tienda, pues ya han comprado todo lo que les interesaba. Pero ahora se han amoldado a la rutina y Alfredo, por su parte, siente menos aprensión a ir a la escuela.

El horario se cumple sin inconvenientes hasta fines

del invierno, cuando ambos niños se están recuperando de una gripe. Después de dos semanas sin asistir a clases, a Alfredo le causa desazón pensar en regresar, y Carla ha vuelto a retrasar sus decisiones a la hora del desayuno. Alejandro sugiere que comiencen un nuevo plan, utilizando un gráfico similar con una recompensa diferente. Esta vez, el premio será un desayuno en la panquequería los sábados por la mañana. El interés de los niños se renueva, y la familia vuelve a tener las mañanas en paz. En la panquequería, Carla puede tomarse todo el tiempo del mundo antes de decidir.

★ Las Recompensas Invisibles ★

No existe nada peor que mandar a los niños a la escuela cargados de enojo. Usted se sentirá culpable durante el resto del día, y los niños entrarán al aula de mal humor y perturbados. Sin embargo, una vez que sus hijos logran mantener un horario, todos se sentirán menos tensos, e inclusive habrá algunos días en que les sobre un minuto para despedirse cálidamente y desearse mutuamente que tengan un buen día. Como padre, usted se regodeará en ese momento a lo largo de la jornada. Sus hijos todavía no tomarán plena conciencia del valor que esto representa, pero su día escolar comenzará bien y bajo control. Contarán con el combustible del placer y aprobación brindados por usted, y eso los transportará hasta el final del día con mayor confianza.

★ También Funciona Para... ★

Un gráfico que representa un mapa horario para que los niños no se desvíen de lo importante resulta muy eficaz. Descompone el tiempo disponible en parcelas y pequeños límites de modo tal que los niños pueden llevar cuenta de dónde están parados respecto del tiempo y el sobrante.

Este enfoque es excelente para ayudar a que los niños lleguen puntualmente a

- los oficios religiosos
- las clases de música
- las terapias (fonoaudiología, terapia ocupacional, física, psicológica), y
- las prácticas deportivas.

LLEGANDO PUNTUALMENTE A LAS CITAS

Katia (7 años) es una niña brillante que sufre de una discapacidad para la lectura. Nora, su mamá, consideraba que el programa de lectura escolar era insuficiente, y tuvo la buena fortuna de encontrar una vacante en la clínica de lectura que funcionaba en la Escuela de Graduados en Educación de la universidad local. O, por decirlo mejor, es *Nora* quien cree que fueron afortunadas. El programa está a cargo de estudiantes de postgrado responsables, bien supervisado, es gratuito, y goza de una excelente reputación.

Pero Katia no podría sentirse más desdichada. Ya le resulta bastante duro que sus amigas sepan que tiene dificultades para leer y que por eso debe concurrir a clases especiales en la escuela. Esto la hace sentirse tremendamente incómoda. Para colmo de males, su cita de los jueves a las 4.45 p.m. en la clínica choca con una actividad social que desarrolla con regularidad: la mamá de una de sus amigas lleva a un grupo de niñas a la pista de patinaje. A Katia le encanta ir, pero siempre tiene que partir antes que las demás para acudir a la clínica de lectura. Nora cambiaría este horario si pudiera, pero Katia debe asistir a las sesiones en el horario disponible, y es éste.

Antes de partir hacia la clínica, Katia puede aprovechar de 45 minutos de patinaje con sus amigas. Lamentablemente, cuando ve llegar a Nora, comienza a correr alrededor de la pista. Nora prácticamente tiene que arrancarla del hielo cogiéndola en el momento en que pasa por donde ella está parada y, una vez afuera, comienza a lagrimear. Sus amigas ya no le preguntan adónde va, pues ella, mirando el piso, insiste: "A ninguna parte. No tiene importancia".

Para cuando Nora ha conseguido depositarla en el auto, Katia está llorando, llegan 10 minutos tarde, y a la niña le toma 20 minutos recobrarse, todo ello dentro de la hora – reloj que dura la clase.

Nora se ha preguntado a menudo si la ayuda extra vale toda esta infelicidad. Pero siempre se ha dado una respuesta afirmativa, y entonces se percata de que es necesario hacer algo al respecto.

★ Primero, Hable Acerca De Ello ★

Nora espera hasta el final de la mañana del sábado, un momento en el que Katia suele estar tranquila en su lugar favorito de la casa: junto a su caballete. – Katia, cielo – comienza Nora – sé cuánto odias ir a las clases de apoyo. Me doy cuenta de que el horario es malo, y que interfiere con el tiempo que pasas con tus amigas en la pista de patinaje. Estoy segura de que desearías no tener que ir y de que la lectura te resultara más fácil.

Katia baja el pincel, y ya le asoman las lágrimas. – Soy buena como artista. Sólo soy un poco tonta. Durante un instante, Nora se sorprende. No se había dado cuenta de que Katia pensaba que su problema de aprendizaje se debía a la estupidez. Nora creía que esto se lo habían explicado adecuadamente en la escuela, y recordaba haberle dicho a Katia que era una niña brillante.

Por lo visto, el ser retirada de las clases y tener que acudir a ayuda especializada hablaba más alto que las palabras.

– Escucha, Katia – dice Nora, tomándole la mano– eres muy inteligente. Sólo te cuesta trabajo encontrarle sentido a un montón de letras sobre una página. Esto no es cuestión de inteligencia. Sólo requiere que una parte muy pequeña de tu cerebro trabaje de un modo determinado. A ti las cosas se te mezclan un poco en esa parte del cerebro. Pero, sabes, muchísimos niños con problemas de lectura son más que buenos en otros campos, así como lo eres tú en pintura. ¡La parte de tu cerebro que te ayuda a dibujar funciona más que muy bien!

Katia se anima un poco, y Nora continúa. – Estás recibiendo apoyo para poder leer bien a pesar de todo. Katia se encoge de hombros. – ¿Recuerdas que tu instructor nos dio un libro para niños acerca de las discapacidades en la lectura? ¿Quieres que lo leamos juntas? – inquiere Nora. Ella no lo ha hecho todavía.

Katia sacude la cabeza con irritación. – A lo mejor más tarde – responde.

Nora vuelve a la carga. – Muy bien. Mira, yo sé que una se siente terrible al tener que recibir toda esta ayuda extra. Estuviste trabajando muy duro y dejando de hacer otras cosas para aprender, y estoy orgullosa de ti. Es duro tener que salir de la pista. Pero, sabes, es realmente importante que trabajes en tu lectura. Se me ha ocurrido una idea para recompensarte por tu esfuerzo, y creo que te ayudará a soportar el tener que llegar puntualmente a tus lecciones de apoyo".

– ¿Cómo qué? – averigua Katia. ¿Realmente creerá su madre que cualquier idea que se le ocurra va a compensarla de su pérdida? Lanza un suspiro. – ¿Qué es? ¿Un cono de helado?

★ El Plan De Recompensas ★

Nora ha pensado en ello largo y tendido, y ha decidido que lo apropiado es una recompensa importante. Después de todo, es mucho lo que está en juego. Quiere que Katia obtenga tempranamente la ayuda extra que necesita, antes de que el fracaso le sea muy duro. Por otra parte, si continúan llegando tarde, puede que Katia no conserve el turno. Hay una larga fila de familias esperando ser admitidas en el programa.

– No, – dice Nora, ignorando el sarcasmo como si tal cosa. – Sé que no estás feliz con la bicicleta que heredaste de tu hermano. Estaba pensando que si llegas a las clases de apoyo puntualmente y sin demasiadas quejas, después de 8 semanas puedes ir y elegir una bicicleta nueva.

Katia abre los ojos como platos. ¡Esto no se lo esperaba!

– ¿En serio? ¿Puedo tener una bicicleta como la de Mónica?

– Claro que sí – responde Nora. – Veamos exactamente lo que tendrás que hacer.

Nora desprende un gráfico de Seguimiento (*para tomar uno en blanco, ver la sección Gráficos Separables [No. 2] al final del libro*) y hace un listado de fechas a lo largo de la primera columna, dejando la otra columna libre para anotar las marcas correspondientes a los jueves en que se ha cumplido el objetivo. Luego coloca un grabador sobre la mesa. La bicicleta es una recompensa importante; las condiciones deben ser muy claras. Como Katia no sabe leer muy bien, grabarán el acuerdo en un cassette. Kendra está algo sorprendida, pero también le hace gracia. Nora y Katia trabajan juntas en los términos del contrato, y llegan al siguiente acuerdo, que Katia recita en el grabador:

Yo, Katia Fernández, me comprometo a salir puntualmente cuando llega el momento de asistir a mis clases de lectura. Comprendo que soy inteligente y que tengo muy buenas ideas, pero también tengo problemas para aprender a leer. El instructor puede ayudarme para que lea igual de bien que mis amigas. Haré lo posible por subir al auto sin alterarme y por trabajar duro en mis clases. Si logro hacerlo así durante 8 semanas, puedo elegir la bicicleta que quiera como recompensa. Entiendo que, para conservarla, debo continuar concurriendo a mis clases de apoyo puntualmente.

★ Los Hechos ★

El comportamiento de Katia se modifica de inmediato. El jueves siguiente está un poco más abatida de lo que a Nora le gustaría, pero abandona la pista en un tiempo razonable, y aunque no se siente muy animada al comienzo de la lección, va encarrilándose. El instructor dice que lo mismo ocurre con todos los niños.

Ocho semanas después, Katia está lista para elegir su bicicleta nueva. "Quiero una bicicleta boja", escribe orgullosamente. Nora está fascinada: nunca, hasta ahora, Katia quiso escribir espontáneamente. Luego Katia mira la frase y la vuelve a escribir así: "Quiero una bicicleta roja".

La niña sonríe con orgullo y abraza a su madre. Nora presiente que no es sólo por la bicicleta que le está dando las gracias. Sonriendo ella también, le devuelve el abrazo, y comprende que su hija es un verdadero regalo para ambas.

LLEGANDO A CENAR A HORARIO

Corre el mes de julio, y el hijo de Matías, Miguel (10 años) disfruta cada uno de los días del verano. Al regresar de la colonia de vacaciones, toma un bocadillo y sale disparado a jugar con sus amiguitos del vecindario. Juegan al béisbol, exploran los bosques, y van al lago a alimentar a los patos. Todo esto es fantástico para Miguel, pero su padre quiere que llegue a casa a las 6 p.m. para la cena. Matías trabaja por las noches y valora muchísimo los 45 minutos (bueno, media hora, en realidad) que le quedan para sentarse y charlar en familia, con su esposa e hijo. Sin embargo, aunque Matías le dio a Miguel un reloj y le dijo a qué hora debía regresar a casa, termina recorriendo las casas de los amigos de su hijo, rastreándolo para que venga a cenar. Es evidente que las familias de sus amigos tienen una rutina dife-
~~ro eso no es asunto de Matías.

¹ no lo comprende. Cuando llega a casa, se
o y desagradable durante la cena porque
ue acortar su horario de juegos.

En conclusión, el corto tiempo que Matías pasa con su hijo se arruina.

Parece que Miguel siempre ha querido tener un perro. Matías y su esposa han considerado el tema seriamente, y podrían haberle dado a su hijo la mascota que deseaba sin condiciones. Pero Matías decide conectar el obsequio de una mascota con el comportamiento de Miguel durante la cena. La relación entre ambos temas funciona perfectamente. Matías insiste en que el cuidado de una mascota implica responsabilidad y planificación horaria, lo mismo que llegar a casa a horario para la cena. Se le ocurre que es posible que a Miguel no le haga mucha gracia dejar a "los muchachos" temprano por la cena, pero igualmente tendría que hacerlo para sacar a pasear el perro.

★ Primero, Hable Acerca De Ello ★

Una noche, durante la cena, Matías aborda el tema. Comienza diciendo que es consciente de que a Miguel no lo hace feliz tener que dejar a sus amiguitos para volver a casa a cenar. Debe sentir que se está perdiendo cosas. Matías desea así aclarar que comprende que Miguel se siente tironeado pero que, a pesar de ello, es muy importante que la familia pase tiempo junta, y que él, Matías, desea y necesita que Miguel respete esta postura. Miguel asiente, huraño.

Luego, Matías explica a su hijo que sabe que quiere un perro, pero que ello implica una gran responsabi-

lidad. Miguel va a tener que controlar su tiempo, y comprender que un perro es una criatura viviente que requiere atención. No siempre le resultará cómodo cuidar del perro, tal y como no le divierte regresar a cenar. Miguel insiste en que hará lo que sea para cuidar del perro.

★ El Plan De Recompensas ★

Matías cree que Miguel es capaz de hacerlo, pero le dice que necesita estar seguro, porque él está demasiado ocupado para hacerse cargo del animal. Matías y su esposa diseñan los puntos esenciales de un Plan de Recompensas. Es sencillo. Miguel debe llegar puntualmente para la cena durante un mes. Si lo hace, puede tener el perro.

Miguel pasa la noche pensando en el plan, y a la mañana siguiente pregunta a su padre:

– ¿Qué pasa si meto la pata una vez? ¿Me pierdo el perro? Puede ocurrir que alguna vez me olvide de mirar el reloj.

Matías felicita a Miguel por haber pensado en los detalles del plan con tanta minuciosidad, y le da la razón. Es posible que algunas veces no llegue a horario. Matías sugiere un máximo de cuatro llegadas tarde en el plazo de un mes. Ambos deciden juntos que una buena manera de llevar la cuenta es hacer marcas en el almanaque de la cocina cada vez que Miguel llegue a horario.

★ Los Hechos ★

Matías puede afirmar que Miguel se ha mentalizado para la tarea. Como era de esperarse, llega puntualmente durante una semana corrida, y alegremente hace las marcas en el almanaque y va de un lado a otro de la casa pensando posibles nombres para el perro. Para gran sorpresa de Matías, la semana siguiente transcurre del mismo modo.

De pronto, la cena es un momento mucho más agradable que antes. En ocasiones, Miguel menciona que ha tenido que dejar un juego por la mitad; Matías asiente, comprensivo, y Miguel se encoge de hombros y no insiste sobre el asunto. Pasa mucho tiempo hablando animadamente acerca de las ventajas y desventajas de las diferentes razas caninas. Al no estar ya envuelto en una nube de resentimiento, puede escuchar a su madre (farmacéutica) cuando ésta trae a la conversación temas interesantes; por ejemplo, las últimas controversias sobre una droga recién descubierta. Miguel está fascinado. Matías sonríe. El y su esposa pueden traer el mundo a casa para Miguel, si él se encuentra *allí*.

Entrada la tercera semana, Matías comienza a buscar criaderos de perros en las páginas amarillas.

CAPÍTULO 6

"¡NO PUEDO DORMIR!"

VENCIENDO LA PROBLEMÁTICA DEL SUEÑO

Todos necesitamos dormir bien por las noches.

El problema es que no se trata de algo que funcione por decreto. Si su hijo no duerme bien, usted tampoco. Entre las dificultades infantiles, la problemática del sueño es una de las más resistentes. En primer lugar, este tipo de perturbación suele presentarse en el momento en que los padres no están del mejor ánimo para lidiar con problemas. La noche es el momento de relajarse y descansar, no de pasarse las horas devolviendo al niño a su propia habitación, o quedándose recostado con él hasta que su respiración tranquila le indica que se ha dormido, o sentado en la mecedora, durmiéndose usted, hasta que el niño lo llama y pregunta, con los ojitos cerrados: "¿Todavía estás aquí?", – pregunta que lo sobresalta y le provoca palpitaciones, dejándolo en un estado de vigilia.

Y eso, suponiendo que los problemas sólo se presenten a la hora de acostarse. También existe la variedad "a – cualquier– hora – de– la – noche". Usted está disfrutando de un sueño reparador, cuando de pronto un movimiento extraño lo despierta, y se encuentra con un niño lloroso escabulléndose dentro de su cama en el mayor silencio posible. O usted se encuentra en medio de un sueño encantador, interrumpido bruscamente por un llamado desgarrador: "¡Mami! ¡Ven, por favor!". Otra mala noche... para usted, al menos.

Entonces ¿qué hacer? Los padres a menudo se sienten atormentados por emociones contradictorias. ¿Es verdad que el niño necesita de su compañía para manejar sus temores nocturnos? ¿O es usted quien debe esforzarse por ayudar a que sus hijos desarrollen estrategias para auto – tranquilizarse?

Respecto de este tema, las opiniones de los expertos están divididas. En un extremo se plantan quienes piensan que es prioritario que los niños aprendan a dormirse sin compañía. En el otro, se encuentran los que creen que, salvo excepciones, no está mal que los niños cuenten con la presencia de sus padres mientras la necesiten. Por mi parte, creo que la verdad consiste en un término medio, y que la manera y el momento en que usted establezca sus reglas dependen de las circunstancias por las que atraviesa su hijo.

A veces, la problemática del sueño incluye un importante componente emocional, por lo cual es prudente tratar de averiguar qué está ocurriendo. Los temores nocturnos suelen ser muy fuertes, y a menudo es necesario conversar sobre ellos. Es evidente que cualquier hecho doloroso (por ejemplo, la muerte de un familiar, o un divorcio) pueden hacer que un niño sienta terror de quedarse solo en su habitación. En tales casos, hay que mantenerlos junto a uno durante el tiempo necesario, especialmente ante sucesos desconocidos o angustiantes.

Las ansiedades nocturnas también pueden ser provocadas por factores menos estresantes. Si un día su niño de 5 años se topa con un perro enorme, ladrando y sin traílla, es posible que esa noche, al cerrar los ojos, se sienta acosado por el recuerdo de la escena. La respuesta apropiada para estos temores consiste en sentarse junto al niño hasta que se duerma o acudir a su llamado en mitad de la noche.

Sin embargo, si usted le brinda a su hijo toda la atención nocturna que merece, es probable que, pasado un tiempo, se acostumbre a ello y comience a sentir que la necesita aún cuando la crisis o el problema externo han sido superados. Un niño que ha adquirido el hábito de aferrarse a usted necesita reaprender sus propios recursos para dormirse, pero igualmente requiere de su paciencia y comprensión. El temor de que las noches en vela reaparecerán si usted lo deja solo demasiado pronto no deja de ser genuino. Es en este punto donde usted puede confortarlo. Una frase que funcionaría bien sería algo así como: "Sabes, creo que durante unos meses realmente me necesitabas contigo. Debes haber sentido mucho miedo cuando papá se fue. Pero ya ves que podemos arreglarnos, y es necesario que vuelvas a recordar cómo hacer para dormirte solo. Y creo que puedo ayudarte".

Finalmente, otros conflictos que se presentan a la hora de acostarse son más frecuentes en niños mayores. Aquí no se trata de temores; simplemente, no quieren

---

El presente capítulo contiene un modelo exhaustivo de un Plan de Recompensas para
- una niña de 5 años que sufre de ansiedad y se despierta por las noches,
sumado a planes más breves para
- un niño de 3 años que se niega a dejar su cuna para dormir en una cama, y
- un niño de 10 años que se resiste a acostarse a la hora apropiada.

---

terminar el día o apartarse de la actividad de la casa. A veces, la raíz de este tipo de problema reside en la lucha de poderes; otras, los niños han caído en hábitos horarios que les impiden descansar el tiempo necesario.

VENCIENDO LOS TEMORES NOCTURNOS

Noche tras noche, Olivia (5 años) se despierta y entra corriendo al dormitorio de sus padres, Isadora y Roberto.
– ¡Tengo miedo! – anuncia, con los labios temblorosos.
– Sí, tengo miedo. Lo repite como si esperara que la contradijeran. Olivia siempre ha sido una niña nerviosa y ahora insiste en que no puede regresar a su habitación a menos que Roberto o Isadora la acompañen y se sienten en su cama hasta que se quede dormida.
– ¡*Porfi*! – ruega.

Este patrón de conducta comenzó dos meses atrás, cuando Olivia había estado sufriendo pesadillas. La aterrorizaba una en particular, donde una bruja rondaba su ventana. Las pesadillas sobrevinieron cuando circuló la noticia de que una de las casas vecinas había sido asaltada durante la noche. Afortunadamente, Olivia parece haber olvidado el incidente y ya no tiene pesadillas. Sin embargo, todavía se despierta cada noche. El patrón quedó establecido.

Isadora y Roberto se turnan para sentarse en el cuarto de Olivia, y esta alteración del sueño los deja deshechos. Instintivamente, ambos sienten que Olivia es capaz de dormir toda la noche de un tirón, pero ella ha perdido confianza en su propia capacidad para hacerlo. Cada vez que insisten en que se quede en su cama, la niña rompe en llanto.
– ¡No pueeedooo! – gimotea siempre que uno u otro de sus padres le indica que vuelva a su cama.

Y es así como el padre o la madre se mantienen en vigilia hasta que la respiración regular de la niña señala que ya pueden volverse a su cuarto, aunque las más de las veces sólo logran revolverse en la cama, sin lograr conciliar un sueño reparador.

★ Primero, Hable Acerca De Ello ★
Un sábado por la mañana, Olivia se ha levantado más tarde que de costumbre, después de haber llamado dos veces a su madre durante la noche. Está descansada. A diferencia de Isadora y Roberto, Olivia se encuentra completamente ajena a los sentimientos de frustración y enojo que provocó hace apenas unas horas.

Sus padres deciden que ha llegado la hora de hablar con ella al respecto.

– Cielito – comienza Isadora – todas las noches te despiertas diciendo que tienes miedo. Exactamente, ¿qué es lo que te asusta tanto?

Olivia se encoge de hombros. – A lo mejor es la bruja... Hombres malos.. Responde con voz queda, no muy convencida.

Isadora asiente con la cabeza. – Es en las noches que nos visitan los pensamientos aterradores. Lo dice de manera terminante. – Pero Olivia, tú sabes que estás perfectamente a salvo en casa. Te mostramos cómo se traban las ventanas, y la cadena de la puerta, y hasta tenemos alarma. Nadie podría entrar en nuestra casa.

Olivia suspira. – Eso no lo sabes. Igual tengo miedo.

– Sí, ya veo – asiente Isadora, percatándose de que la realidad es otra. – Pero, sabes, antes de que tuvieras las pesadillas, te dormías muy bien solita.

– ¡No, nunca fue así, y ahora no puedo! – insiste Olivia, a los gritos. Se da cuenta de a dónde lleva esta conversación, y está claro que no le gusta.

En lugar de iniciar una discusión acerca de si es verdad o no que solía dormir sola toda la noche, Roberto decide que es mejor atenerse a la situación actual.

– Bueno, sé que crees que no puedes, pero tu madre y yo estamos impresionados de ver lo mayorcita que pareces durante el día. Hasta aprendiste a montar en bicicleta, ¿recuerdas? ¡Vas tan rápido ahora!

El ceño fruncido de Olivia se suaviza en una leve sonrisa al pensar en sus hazañas con la bicicleta.

– Sabemos que no eres feliz quedándote sola a la noche – dice Roberto, resuelto a desviar a Olivia de la palabra "miedo". – Pero, sabes, las niñas grandes que saben montar en bicicleta también pueden dormir solas. Isadora y Roberto le sonríen, tranquilizándola.

Olivia comienza a abrir la boca para protestar.

– Por supuesto, a veces necesitan un plan divertido que las ayude a aprender a dormirse – añade Isadora rápidamente – un plan que también las ayude a espantar los pensamientos tristes.

– ¿Cómo qué? – indaga Olivia.

★ El Plan De Recompensas ★

Isadora y Roberto deciden que necesitan un plan que ofrezca recompensas muy atractivas en un plazo mínimo. La conducta nocturna de Olivia está demasiado enquistada, y sus padres quieren ver progresos desde el vamos. Eligen el gráfico "La Caza del Tesoro" *(para tomar uno en blanco, ver la sección Gráficos Separables [No. 8] al final del libro)*, y se disponen a usarlo, para lo cual compran una serie de objetos pequeños pero vistosos que – están seguros– serán del gusto de Olivia. (Hay

El presente modelo consiste en un plan especialmente diseñado para niños que padecen de ansiedad. Muchos de ellos lograrán dominar sus temores en menos tiempo que Olivia, en cuyo caso no será necesario seguir los pasos indicados al ritmo lento que aquí se indica. Como en todos los otros casos, adapte cada programa a la edad y personalidad de su hijo/hija.

una ilustración del uso de este gráfico en la pág. 105 de la Parte III).

Isadora le cuenta a Olivia que tienen un plan para ayudar a que se duerma sola, y que éste le dará la oportunidad de jugar a la Caza del Tesoro. Agrega que se trata de un plan que va paso por paso, para que Olivia se sienta a salvo y poco a poco logre acostumbrarse a estar sin compañía. Lo último que Isadora desea es que Olivia comience a temer que sus padres esperan demasiado de ella.

Roberto le muestra el gráfico y le explica que por cada noche que Olivia siga el Plan "Durmiendo Sin Ayuda", podrá buscar un pequeño "tesoro" a la mañana siguiente. Roberto ha optado por darle al plan este nombre porque suena a adulto. Piensa que, de haberlo llamado "Durmiendo Sola", Olivia habría sentido que el énfasis estaba puesto en lo que ella más temía.

Luego Isadora habla sobre lo que esperan que Olivia haga, explicando también que volverán a conversar acerca de cada uno de los pasos a su debido tiempo. Olivia está de acuerdo con lo que dice su madre, pero Isadora percibe que, por el momento, todo es muy conceptual y que su hija reaccionará de modo muy diferente cuando llegue el momento de tener que modificar su conducta.

★ Los Hechos ★

El plan que Roberto e Isadora han ideado se compone de cinco pasos que requieren que, de manera gradual, Olivia se desprenda de la presencia de un adulto en mitad de la noche.

Paso 1 (Noches 1 a 3)
Durante las tres primeras noches, Olivia puede llamar a sus padres pero no irrumpir en su habitación. Isadora le asegura que ella o Roberto acudirán al llamado, pero insiste en que Olivia no debe abandonar su cuarto. Si se las compone para permanecer allí, ganará la oportunidad de descifrar una pista que la conduzca a un tesoro.

La primera noche, Olivia olvida lo hablado y entra a la habitación de sus padres. Roberto le recuerda el plan, y ambos padres acuerdan que, por esta vez, si Olivia vuelve a su dormitorio y los llama, todavía puede ganar su recompensa. Sienten que hacer la concesión de una noche de "práctica" ayudará a Olivia a recordar las condiciones la próxima vez. Por otra parte, desean que ella viva el éxito desde el principio de la implementación.

Cuando llega la hora de acostarse la noche siguiente, Isadora le recuerda a Olivia el plan y le comunica que obtendrá su recompensa sólo si se abstiene de entrar a la habitación de sus padres. A Olivia le preocupa olvidarlo cuando se despierte a mitad de la noche, y entonces juntas deciden colocar un banquillo de colores brillantes cerca de la lámpara de noche, en el umbral del dormitorio de Olivia, que quedará con la puerta abierta. Olivia acomoda su muñeca favorita sobre el banquillo, de modo tal que parezca "un asiento amistoso". Esa noche Olivia obtiene su recompensa, y lo mismo ocurre la tercera noche.

Paso 2 (Noches 4 a 6)

Isadora y Roberto le explican a su hija que durante las próximas tres noches, si llega a despertar y los llama, debe permitir que quien acuda se siente en una silla junto a su cama, pero no sobre la cama misma. Olivia no pone objeciones cuando sus padres le explican esta condición al atardecer, pero en mitad de la noche insiste para que Roberto (a quien le tocó la vigilia esa noche) se siente sobre la cama. Él le recuerda el plan y toma asiento en la silla.

Esta resulta ser la noche más difícil de todo el programa. Olivia se siente golpeada por la realidad. Desde su punto de vista, se avecinan cambios catastróficos. La niña tiene una rabieta, gimoteando que está demasiado asustada y de ninguna manera puede dormirse si no está acompañada en la cama. Por un momento, su padre considera la posibilidad de ceder y sencillamente cancelar la recompensa consiguiente, pero duda que esta solución vaya a cambiar el rumbo de la situación la siguiente noche. Finalmente decide que los progresos de Olivia serán más rápidos si la fuerza un poquito para ayudarla a combatir sus temores.

Mientras Olivia llora, Roberto sugiere que, seguramente, existen estrategias que la ayuden a sentirse más segura. Le pone una muñeca bajo el brazo y su colección de ositos al pie de la cama. Luego de otros 5 minutos de llanto, Olivia comprueba que su padre continúa sentado, silencioso y paciente, junto a la cama. Roberto susurra: – ¡Lo estás haciendo muy bien!

A la larga, Olivia se entrega al sueño.

Por la mañana, Isadora felicita a Olivia y le expresa cuánto orgullo le causa ver que ha logrado dormirse sin otra persona en la cama con ella. Una vez más, Olivia parte a la búsqueda del tesoro, y esta vez encuentra un objeto particularmente atractivo.

Las noches 5 y 6, Olivia se duerme con uno de sus padres sentado en la silla de su habitación.

Paso 3 (Noches 7 a 16)

Isadora y Roberto continúan con el plan diez días más, alejando la silla lentamente desde la cama de Olivia hacia su propia habitación. Varias noches seguidas la mantienen en un mismo lugar antes de alejarla un poco más, para reducir el malestar de Olivia y su sensación de que la están apresurando. Cada vez que la silla se aparta, Olivia protesta pero, después de la primera noche, parece estarse acostumbrando a la distancia.

Durante el proceso, Olivia alguna vez olvida el plan y entra al cuarto de sus padres. Cuando se le recuerda el plan, permite que la acompañen de regreso a su dormitorio, y Roberto o Isadora se sientan en la silla. A la mañana siguiente, Olivia acepta que no le corresponde recibir una recompensa, y piensa cómo recordar las reglas para la próxima ocasión. Le viene a la mente el banquillo de colores y le pide a Isadora que le recuerde colocarlo en el umbral a la hora de acostarse. Mientras se va a la cama, habla de la caza del tesoro, y sus padres comprenden que utiliza este mecanismo para motivarse y darse ánimo. Durante el día, habla de sus logros con orgullo.

Pasos 4 y 5 (Noches 17 a 24)

Olivia ya ha ganado 15 recompensas, y sus padres han alejado la silla hasta la puerta de su propia habitación. Llegado este punto, le anuncian a Olivia que ganará su recompensa sólo si, habiendo llamado a sus padres, se conforma con que ellos le respondan sin levantarse de la cama.

Finalmente, Roberto e Isadora le piden que no los llame. Esto asusta un poco a la niña, pero Isadora inmediatamente trae a la conversación nuevas estrategias para que Olivia se tranquilice por sí misma. Olivia pide a su madre que le ponga una lámpara de noche nueva y "divertida"; la que tiene – dice – es "aburrida". Ha visto una moldeada en forma de luna sonriente, y afirma que ésa la hará feliz. Isadora se la compra y Olivia da el último paso, ganando el tesoro No. 24.

★ Las Recompensas Invisibles ★

Olivia está muy orgullosa de su habilidad de "dormir como una niña mayorcita". A sus padres les había preocupado que continuara exigiendo recompensas para no salirse de la cama pero, en realidad, Olivia tomó el plan como una especie de viaje que la trajo a buen puerto. Hubo un comienzo, un medio, y un final. Y, según lo ve la niña, ella ganó. Roberto le otorga un Certificado con la inscripción "¡Lo logré!" (*para tomar uno en blanco, ver la sección Gráficos Separables [No. 21] al final del libro)* para subrayar la importancia de su triunfo. Olivia colorea el Certificado y lo pega sobre la pared, a la cabecera de su cama. Cinco meses más tarde, cuando Isadora se siente frustrada porque Olivia tiene miedo de nadar, la niña sugiere otra caza del tesoro. Olivia ha olvidado qué tipo de conducta la hacía acreedora a las recompensas, pero recuerda bien que era una manera divertida de superar un problema.

★ También Funciona Para... ★

Este proceso de un paso por vez para ayudar a su hijo a enfrentar sus temores también funciona bien para los clásicos miedos infantiles tales como
* aprender a nadar
* aproximarse a los perros, y
* entrar en habitaciones a oscuras.

Es crucial tener en cuenta que no hay que forzarlos demasiado pronto, y que es necesario tener una recompensa lista para cada paso. Es muy difícil dejar atrás el miedo. El saber que un premio espera a la vuelta de la esquina puede dar a muchos niños el valor necesario para avanzar lentamente. ¡Pero no espere pasos agigantados!

ACEPTANDO LA NUEVA CAMA

Carlos (3 años) está muy conforme con su cuna. No ha pedido una cama para "un niño mayorcito" ni una sola vez. Sin embargo, faltan 3 meses para que nazca un nuevo bebé en la familia, y Sofía, su mamá, le compra una cama gemela.

– ¡Mira! – exclama Sofía. – ¡Ya tienes edad para dormir en una cama grande!

Carlos hace oídos sordos al cumplido. No está nada contento. – ¡Quiero dormir en mi cama! – estalla. – ¡*No*!

Sofía intenta razonar con él, adularlo y halagarlo. – ¡Estás creciendo tanto! – le dice, en tono de admiración. – ¡Son tantas las cosas que sabes hacer ahora! Vamos, pruébala. Acuéstate en la linda cama nueva unos minutos.

Carlos sacude la cabeza enfáticamente.

En rigor de verdad, Sofía no puede decir que le sorprende la resistencia de su hijo, un niño que jamás se ha adaptado a los cambios con facilidad. Hasta el día de hoy, las únicas piruletas que ha comido son rojas. El pensamiento de lo que va a ocurrir cuando llegue el nuevo bebé la hace estremecer.

Durante un breve instante, Sofía se pregunta dónde ocultar al bebé.

Este pensamiento se desvanece enseguida. Su nuevo crío va a necesitar la cuna, y ya es hora de que Carlos se mude a una cama.

★ Primero, Hable Acerca De Ello ★

Dada la edad de Carlos, Sofía se percata de que una conversación no resultará útil. Es evidente que Carlos no está listo para hablar de manera racional acerca de la nueva cama y, peor aún, el señalar que la cuna se destinará al bebé por nacer lo hará aferrarse más a ella.

Le quedan tres meses de espera, de modo que no es importante ahora introducir el porqué de la necesidad de cambiar de cama. Sin embargo, Sofía se da cuenta de que puede ayudar a Carlos a comenzar a procesar sus sentimientos respecto del cambio que implica dormir en otro espacio sin hablar de ello de manera específica.

Aunque no sobra lugar, Sofía decide dejar la cuna en la habitación y permitir a su hijo dormir en ella, ayudando así a que comience a acostumbrarse a la presencia de la cama. Durante varias noches, es ella quien, sin comentarios, se sienta en la cama y le lee historias antes de dormir. Luego lo arropa junto con algunos de sus peluches, y da a todos el beso de las buenas noches. A esta altura, Carlos ha cesado de quejarse por la presencia de la nueva cama y más bien parece verla como un aditamento agradable.

★ El Plan De Recompensas ★

Ahora Sofía aborda el tema de las recompensas. Ha elegido el gráfico "Bienvenido al Zoológico" *(para tomar uno en blanco, ver la sección Gráficos Separables [No. 5] al final del libro)* y ha comprado una selección de stickers de animales. Se los muestra a su hijo, y le dice que tendrá la oportunidad de ganarse un sticker y pegarlo en el gráfico cada noche que se duerma en su nueva cama. Cuando haya obtenido 7 stickers, papá lo llevará al zoológico de verdad. Carlos inspecciona los stickers y se muestra inmediatamente interesado en el plan.

Con el fin de ayudar a Carlos a llevar cuenta de sus progresos en camino al Zoológico, su mamá trae un Contrato Ilustrado (hay una ilustración del uso de este contrato en la pág III de la Parte III). En la mitad superior, donde se encuentra la inscripción "YO", dibuja la figura de Carlos durmiendo en su cama nueva junto a su conejo de peluche favorito. Luego traza siete círculos y le explica a Carlos que puede colorear un círculo cada vez que gane un sticker. Le dice que cuando todos los círculos tengan color, habrá llegado el momento de visitar el zoológico. En la parte del contrato titulada "USTEDES", dibuja a Carlos tomado de la mano de su

Gráfico "Bienvenido al Zoológico"

papá, frente a la jaula de las jirafas. Carlos cuenta los círculos: – 1... 2... 3... 4... 5... 6... 7.

Sofía sonríe con gratitud, su hijo ha captado la idea, y eso es lo que importa. ¡Y cuenta tan bien como ella dibuja!

A continuación, cuelga el gráfico sobre la cama nueva. Carlos no le quita los ojos de encima.

★ Los Hechos ★

Esa misma noche, Carlos se arrebuja bajo la frazada sin protestas, rodeado por sus peluches. Hace lo mismo la noche siguiente. A la tercera noche, comienza su resistencia a acostarse en la cama grande, pero Sofía está preparada. Se muestra desilusionada, comentando: – Yo no quepo en la cuna para poder leerte el libro nuevo sobre el Oso panda que te compré.

Carlos deja de protestar al instante, con la mirada fija en la tapa del libro nuevo. Sofía se sienta sobre la cama y comienza a leer. La novedad lo tomó desprevenido, y Carlos se acomoda sin más.

ACEPTANDO LAS REGLAS A LA HORA DE ACOSTARSE

Eric (10 años) siempre se ha resistido a irse a dormir. No cesa de dar vueltas, buscando a último momento libros que ha tomado en préstamo de la Biblioteca y ahora no encuentra, recordando de pronto tareas escolares (inexistentes) que debe hacer, y quejándose de tener que acostarse cuando no está cansado. A Dolores, su mamá, no se le escapa que ella es en gran parte culpable del problema. Durante muchos años crió a Eric sola, lo cual permitió que el niño se saliera con la suya en muchos casos que no habrían sido tolerados de no sentirse ella demasiado cansada como para adoptar una actitud firme. Pero ahora que Dolores se ha vuelto a casar, los malos hábitos nocturnos de Eric sobresalen en relieve. En realidad, inclusive parecen empeorar. El nuevo esposo de Dolores piensa que las 10 p.m. es demasiado tarde para que el niño ande correteando por la casa, y ella está de acuerdo. Todas las noches, a medida que se acerca "la hora de las brujas", la tensión puede cortarse con un cuchillo.

★ Primero, Hable Acerca De Ello ★

Una noche, cuando el padrastro de Eric no está en casa, Dolores se sienta con su hijo y le pregunta si ha notado lo mal que se sienten todos a la hora en que él debería acostarse. Él asiente con una mirada amarga, y Dolores toma una postura de clara empatía. – Me pregunto – comienza – si se te ocurre que cuando te pido que vayas a acostarte es porque no quiero tenerte cerca. Eric se encoge de hombros, y Dolores pasa a explicarle que fue un error de su parte el haberle permitido que se acostara tan tarde. – Disfruto mucho de tu compañía, pero también pienso que necesitas dormir más.

Acto seguido, le recuerda cuánto le cuesta levantarse por las mañanas.

Luego Dolores aborda el Plan de Recompensas con estas palabras: – Creo que podemos hacer algo juntos – como una pequeña tradición – por las noches, antes de que te acuestes.

Esto era algo que solía hacer cuando Eric era pequeño, pero a medida que fue creciendo y Dolores comenzó a tener citas con mayor frecuencia, aquellos momentos especiales habían sido dejados de lado. A Dolores se le ocurre que restablecer un tiempo compartido sólo por ellos dos puede ayudar a Eric. Sugiere jugar a las damas. Eric no discute, y Dolores lo toma como un sí. Inspirada por la idea de que Eric responderá a una motivación externa, su mamá introduce el Plan de Recompensas.

★ El Plan De Recompensas ★

– Se me ha ocurrido una idea que te ayudará a irte a la cama sin tantos problemas – dice Dolores. – Termina con un día en tu parque de diversiones favorito.

Eric escucha atentamente mientras Dolores propone los siguientes objetivos: a las 8.30 p.m., Eric y ella repasarán juntos lo que necesita llevar a la escuela, y él lo pondrá en su mochila. Luego jugarán una partida de damas. A las 9.15 Eric comenzará a prepararse para ir a la cama. Se pondrá los pijamas, cepillará sus dientes, elegirá un libro o revista para leer, o tomará un bloc de dibujo y lápices, y los pondrá junto a su cama. A las 9.45, leerá un poco o dibujará para sentirse más relajado, y apagará la luz a las 10.

A Eric este horario le escuece, pero se calma cuando Dolores le sugiere que es libre de hacer un pequeño ajuste. El niño propone apagar la luz a las 10.15. Ella se da cuenta de que es un acto destinado al control de la situación, pero no tiene mucha importancia.

– ¿Y cuándo vamos a Cyclone City? – inquiere Eric.

Entonces Dolores le explica los detalles. Juntos preparan dos gráficos de Seguimiento con los tres horarios, e inscriben las actividades correspondientes a cada uno titulando las tres columnas que aparecen en cada gráfico (Se necesitarán dos gráficos para que quepan los 20 días que tomará el plan; hay una ilustración del uso de este gráfico en la pág. 103 de la Parte III). Luego, a la izquierda de la primera columna en ambos gráficos, hacen un listado de los días de semana para el mes siguiente (10 días por gráfico). Cada vez que Eric complete una rutina nocturna a horario, obtendrá una marca en el renglón del día. Dolores le explica que si obtiene 55 marcas en el mes (con la oportunidad de fallar 5 veces), se habrá asegurado el paseo a Cyclone City.

★ Los Hechos ★

Dolores y su esposo están atónitos ante la inmediatez del cambio en la conducta nocturna de Eric. El niño decide poner la alarma de su reloj de pulsera para que suene a las 8.20 p.m., de modo de estar avisado que se avecina el momento de preparar su mochila. Está siempre listo para jugar a las damas, y es él quien trae la caja y dispone el tablero antes de que llegue Dolores. Y en cuanto a su insistencia en apagar la luz a las 10.15, resulta que, con no poca frecuencia, el dormitorio está a oscuras a las 10. Dolores percibe que probablemente estaba en lo cierto al sospechar que las dilaciones anteriores de Eric se debían a los celos que sentía de su padrastro y a la sensación de haber perdido importancia a los ojos de su madre.

Dolores se anticipa con el pensamiento al paseo que harán al parque de diversiones, imaginando el orgullo de Eric cuando se baje de la Montaña Rusa junto a su padrastro. En lo íntimo de su ser, espera que ésta sea una oportunidad para que ambos varones estrechen sus vínculos. También les permitirá a los tres realizar una actividad que gira alrededor de Eric, lo cual lo convertirá en la estrella del espectáculo. He ahí sus recompensas invisibles.

Pero también habrá una recompensa invisible para Dolores. ¡Eric hará su primera incursión a la Montaña Rusa con un acompañante entusiasta, y *ella* podrá permanecer segura en tierra firme!

CAPÍTULO 7

"¡ESTA NOCHE NO QUIERO LAVARME LA CABEZA!"
ESTABLECIENDO HÁBITOS DE HIGIENE LIBRES DE PROBLEMAS

A muchos niños la higiene no les interesa en lo más mínimo. En realidad, la mayoría considera que toda actividad relacionada con la higiene es un estorbo. ¿Por qué tomar un baño, o lavarse la cabeza, o cepillar los dientes, cuando hay tantas otras cosas para hacer? Especialmente si estas "tareas" atrasan cena, o les impide irse derechito a la cama para escuchar la historia que les relatan a la dormir, o si tienen que meterse un cepillito en la boca y escucharlo a usted con su letanía: "Arriba, abajo, derecha, izquierda". Es probable que piensen para sus adentros: "¿Qué significa toda esta alharaca?"

La idea de que la suciedad que se acumula debajo de las uñas es portadora de gérmenes, de que el cabello sucio causa rechazo, o de que la falta de cepillado es una invitación a las caries no les despierta ni chispa de interés.

Las reglas de la suciedad.

Como padre, usted tiene que admitir que transcurrirá mucho tiempo antes de que su hijo reaccione ante sus explicaciones acerca de la importancia de la higiene. No es realista suponer que sus palabras producirán efecto en la infancia temprana. La información que transmita (mejor dicho, parte de ella) se irá colando lentamente dentro de su cerebro y, con el pasar del tiempo, y a medida que crezca, el deseo de su hijo de sentirse limpio y de agradar a los demás se mezclará con la sabiduría de las palabras que habrá escuchado de usted. De pronto, y entre otras cosas, tomar un baño, lavarse la cabeza, y cepillarse los dientes cobrarán sentido.

Pero eso es después, y ahora es ahora.

El éxito del Plan de Recompensas esbozado en el presente capítulo depende casi por completo del atractivo que su hijo encuentre en él. El niño no se mostrará dócil porque lo impulsa el deseo de estar limpio. Pero por lo general llegará a percibir que esto es parte de su forma de protegerlo y cuidarlo. Y cuando no están empeñados en obtener el control, los niños suelen mostrarse, hasta cierto punto, deseosos de cooperar.

Sin embargo, las exigencias higiénicas surgen cuando los niños están cansados, hambrientos, o apurados. ¡No son estos los momentos en los que muestran mayor receptividad a hábitos nuevos! Y, aunque es verdad que por lo general no sentirán de cerca las recompensas invisibles acarreadas por una correcta higiene en esta edad, el proceso actual los ayudará a conectarse con ellas cuando llegue el momento. Las recompensas inmediatas que usted pueda brindarles son una medida temporaria que la ayudarán a modificar los hábitos poco saludables de sus hijos para que adquieran otros que les den placer y no dolor. Y, una vez más, estará salvaguardando una relación positiva entre su hijo y usted.

Este capítulo contiene un modelo exhaustivo de un Plan de Recompensas para
- una niña de tres años que rehúsa cepillarse los dientes por la noche,

sumado a planes más breves para
- una niña de seis años que odia que le laven la cabeza, y
- un niño de diez años que se sienta a la mesa con las manos y la cara sucias.

HORA DE CEPILLARSE LOS DIENTES

Cada noche, Sara (3 años) ofrece gran resistencia cuando Jazmín, su mamá, trata de cepillarle los dientes. Jazmín ha intentado el experimento de hacer que se los cepille por sí misma ("¡Mira qué niña grande eres ya!"), pero a Sara no le resulta muy atractivo. No le gusta la sensación del cepillo dentro de su boca, sin importar de quién es la mano que lo sostiene.

Jazmín ha tratado de inducirla con suavidad, diciéndole algo así como: – Ven, Sara, hagámoslo juntas – pero la respuesta que suele recibir es: – No, gracias. De modo que ahora hay ocasiones en las que Jazmín no se toma la molestia de pasar por ello. Se tranquiliza diciéndose que Sara todavía no tiene caries, y que, en última instancia, estos son sus dientes de leche.

También es cierto que a veces ha recurrido a las amenazas; por ejemplo, tirar a la basura todas las galle-

tas, pero sólo logró que Sara gimiera: – *¡Noooo!* ¡Quiero galletas! – apretando luego los labios con tal fuerza que no habría habido modo de separárselos.

La mitad de las veces, Jazmín preferiría ir ella misma al dentista antes que vérselas con Sara.

★ Primero, Hable Acerca De Ello ★

Jazmín sabe que no puede esperar que una niña de tan corta edad comprenda que hay que cepillarse los dientes para evitar las caries. Sin embargo, decide comenzar a explicarle periódicamente el propósito de la higiene dental en términos sencillos.

– Sara, no es bueno para tus dientes que queden restos de comida en ellos. Hay que limpiarlos, igual que al resto del cuerpo. ¡Si no los cuidas, pueden empezar a doler! (Después de la primera carie, es posible que haya un cambio de rumbo, pero eso también depende de la edad).

Por el momento, lo más sensato es mostrarse comprensivo y concentrarse en otros aspectos del cepillado de dientes. – Sé que no te gusta la sensación del cepillo, pero quizás podamos hacer algo para que te moleste menos. Podríamos ir a la farmacia y elegir uno nuevo, muy blando, y de tu color favorito. Y, además, antes de empezar a cepillarte, podemos enjuagar tus dientes con una toallita suave y calentita. Eso ayudará a preparar tu boca para el cepillado.

– Bueno – dice Sara, no muy segura.

"Sin tropiezos", piensa Jazmín, con una pizca de orgullo.

Básicamente, le está mostrando a su hija, en términos concretos, que desea que la experiencia le resulte lo más grata posible. De regreso de la farmacia, le comenta: – Sara, sé de otra cosa que podemos hacer para que cepillarse los dientes sea más divertido. La llamaremos "Cepillado para Ayudar a Alimentar al Gatito".

Jazmín sabe que Sara adora a los gatos, de modo que, tal como lo imaginara, ahora tiene toda su atención.

– ¿Qué es? – pregunta Sara, con los ojos muy abiertos.

Este Plan de Recompensas se presta para niños pequeños. Los mayorcitos pueden obtener recompensas no sólo por cepillarse los dientes, sino por hacerlo durante el tiempo suficiente. Si su hijo mayor tiende a pasar el cepillo con una velocidad que no permite remover los restos de comida acumulados durante el día, puede utilizar un reloj de arena y recompensarlo por los 2 o 3 minutos que dedique a cepillarse los dientes. Y también puede imponer períodos más largos previos a la obtención de la recompensa.

★ El Plan De Recompensas ★

Jazmín es consciente de que la lucha para que los dientes de Sara lleguen al grado de higiene deseada durará unos cuántos meses como mínimo, por lo cual ha diseñado una cantidad de planes a fin de retener el interés de Sara y lograr su cooperación. Sabe que el interés de Sara, sin importar de qué actividad se trate, se mantiene vivo durante lapsos muy cortos. Al principio, le muestra a su hija el gráfico "Alimentando al Gato" *(ver la sección Gráficos Separables [No. 4] al final del libro)*, y le explica que cada vez que le permita cepillarle los dientes, o que comience a hacerlo por sí misma y le permita a Jazmín terminar la tarea, Sara habrá ganado un sticker de alimentos que podrá pegar en el plato del gatito (Hay un modelo de este gráfico con los stickers pegados en la pág.104 de la Parte III). Jazmín le propone a Sara que elija un nombre para el gato y, luego de considerar varios, la niña decide llamarlo "Feroz". Luego Sam le muestra la colección de stickers que ha comprado. Jazmín puede ganar una gran variedad de alimentos para Feroz, desde vegetales hasta hamburguesas, e inclusive caramelos. Jazmín cuelga el gráfico en la habitación de su hija, sobre la cama, para que Feroz la acompañe por las noches.

La primera noche, Sara elige alimentarlo con un cono de helado, y ambas ríen ante la idea de un gato comiendo de un cono. Las noches subsiguientes, Feroz se alimenta de una variedad de platos. En ocasiones, Jazmín anima a Sara a proporcionarle algo que también sea bueno y saludable para los dientes de la niña.

Mientras Sara se cepilla los dientes y va pegando stickers en el gráfico, Jazmín – no siempre – le cuenta acerca de los hábitos higiénicos de los gatos. A veces, durante el día, nota que Sara observa con gran interés cómo se lava Nieve, la gata de la familia.

Sin embargo, como es usual en niños de esa edad, el entusiasmo de Sara comienza a decaer al tiempo que su breve lapso de atención decae. El gráfico del gato pierde atractivo; entonces Sara se resiste otra vez (quizás con menos vehemencia que antes) a cepillarse los dientes por la noche. De todos modos, Jazmín está encantada. ¡Sara se ha estado cepillando los dientes durante casi dos semanas! Es evidente que una adecuada motivación externa puede ser muy eficaz; y aprovechándose de esto, Jazmín introduce los Bonos Felices *(para tomar uno en blanco, ver la sección Gráficos Separables [No. 13])* antes de que transcurra demasiado tiempo y Sara vuelva a apretar los labios como si se los hubiera pegado con cemento.

Sentándose con Sara, Jazmín le muestra varias formas de los Bonos Felices, y le explica a Sara que obtendrá uno cada vez que se cepille los dientes. La primera noche, Sara elige una estrella. Jazmín le entrega una cajita ya envuelta en papel liso. Jazmín sugiere que Sara decore la caja, pues allí guardará sus bonos. Mientras Sara juega, dibujando líneas entrecruzadas con crayones de colores, Jazmín le explica que recibirá un obsequio cada vez que se cepille los dientes. En la cara posterior del bono, Jazmín escribe: "¡Sí! ¡Hoy me cepillé!"

Sara vuelve a cepillarse con un poquito de resentimiento – no le gusta que su mamá participe del proceso durante tanto tiempo – y pronto su caja rebosa de bonos. Los ha decorado con stickers y crayones, ¡y se ha estado cepillando regularmente durante tres semanas! Algunas veces, Jazmín ha notado que Sara recompensa a sus muñecas con bonos por alguna buena acción imaginaria.

Pero, como era de esperarse, Sara se cansa de los obsequios. No ha dejado de cepillarse, pero comienza a discutir, y Jazmín ve que la caja de bonos ha quedado abandonada debajo de la cama. Es hora de idear algo nuevo.

Jazmín recurre a lo que da en llamar el Plan de Recompensas de las Cuentas. Para comenzar, le da a su hija una pequeña sarta de cuentas. Cada noche, después de cepillarse los dientes, Sara puede elegir una nueva cuenta para agregarla a la sarta; el objetivo final es que la sarta alcance el largo necesario para convertirse en un collar. Y el plan dura exactamente hasta que ello sucede. A Sara le gustan las "joyas", pero en cuanto puede ponerse el collar, comienza a mirar el cepillo con malos ojos. Aún así, continúa usándolo. O algo por el estilo. Aunque no puede decirse que lo disfrute, el hábito se está formando.

Lo que sigue son las Actividades Placenteras *(ver la sección Gráficos Separables [No. 16])*. Jazmín selecciona actividades que son atractivas para la niña, las escribe en los formularios, y los recorta. Luego le explica a Sara que cada vez que cepille sus dientes, puede tomar un papelito de la bolsa donde los ha guardado. Todos los papelitos prometen una actividad especial que pueden realizar juntas. – ¿Cómo es? – pregunta Sara; y Jazmín le da algunos ejemplos: Una Trenza con Cinta en el Cabello, Aprendamos un Nuevo Baile, Armemos un Rompecabezas, y Pídele a Mamá que te Cante tu Canción Favorita. Sara acepta con gusto.

Finalmente, llegan las Canciones Tontas para Cepillarse los Dientes. El papá de Sara graba un cassette en el que él mismo canta canciones divertidas acerca del cepillado. Cuando Jazmín se lo hace escuchar, Sara ríe hasta las lágrimas. Jazmín le explica que podrá escuchar una canción diferente cada vez que se cepille los dientes. Cepillado al ritmo de la música.

Ejemplo (cantarlo con la música de alguna canción

infantil o marcha de su país)

El cepillo cepilla de dos en dos
- ¡Viva! ¡Viva!   - El cepillo cepilla de dos en dos
- ¡Viva! ¡Viva!   - ¡El cepillo cepilla de dos en dos!
Se para un instante
Y recoge una miga
Y todos cepillan, abajo y arriba
Bum bum bum bum...

★ Las Recompensas Invisibles ★

En cuestiones de higiene, las recompensas invisibles suelen ser para usted. Transcurridos unos meses, Jazmín descubre que Sara se encuentra mucho más dispuesta a cooperar, inclusive cuando ya se ha aburrido de los incentivos. La cooperación se está transformando en un hábito. Jazmín ya no tiene que discutir tanto con su hija, y se siente bien porque ha encontrado la manera de que Sara tenga dientes y encías saludables. También le alegra que las facturas del dentista son razonables.

Sara no podrá apreciar el valor de las recompensas invisibles hasta que sea mucho mayor. E inclusive entonces, es probable que no le dé las gracias a mamá. En su adolescencia, estará inmersa en otro tipo de discusiones, como "esa estupidez de tener que volver a casa a una hora determinada". Pero mientras se dirige al baño, indignada, para cepillarse los dientes antes de acostarse, Jazmín tendrá motivos para sonreír.

★ También Funciona Para... ★

Diferentes Planes de Recompensas que ofrecen incentivos moderados para pequeñines también funcionan cuando se resisten a cosas que no implican un esfuerzo especial y que usted necesita que se hagan todos los días (o casi todos). Sus hijos aceptarán el plan si el atractivo que ofrece basta para opacar el disgusto que les causa la tarea en cuestión. A medida que el brillo de la recompensa se atenúa, la impaciencia del niño volverá a ocupar el centro de la escena; es necesario que usted haya aprontado otro Plan de Recompensas hasta que su hijo haya practicado el nuevo hábito el tiempo suficiente como para haberse habituado (valga la redundancia) a él. La serie de planes sencillos sirven para conductas tales como:

- secarse bien después de haber ido al sanitario
- lavarse las manos después de haber hecho sus necesidades
- utilizar hilo dental, y
- tomar medicinas.

LAVARSE LA CABEZA

Elisa (6 años), hija de María, detesta que le laven la cabeza. No deja de gritar: — ¡Mis ojos! ¡Quítame el jabón de los ojos! También está la cuestión de la temperatura del agua: está demasiado fría o demasiado caliente (aunque lo cierto es que la lavan con agua tibia), y a veces llega estar "¡demasiado mojada!". Finalmente, sobreviene la lucha para desenredar su largo cabello con el peine. — ¡Me estás arrancando todo el pelo! — gimotea la niña. El lavado de cabeza se transforma en una batalla campal que consume horas.

En los meses de invierno, a María no le molestaba dejar pasar unos días sin lavar la cabeza de Elisa. Pero ahora es verano. Elisa es una niña vivaz que pasa su tiempo correteando en plazas polvorientas y jugueteando en piletas de natación llenas de cloro. María piensa que es indispensable lavarle la cabeza casi todos los días. Lamentablemente, cuando regresa a casa, Elisa está exhausta y no tolera nada que implique el más mínimo desagrado. Cuando María extiende la mano para tomar el champú, Elisa prácticamente se arroja fuera de la bañera.

Esta niña siempre ha sido un tanto sensible a las sensaciones, especialmente a las de tipo táctil. Las sudaderas tienen que sentirse como manteca; las costuras de las medias tienen que estar derechas; los cuellos le irritan la piel, y sólo acepta usar pantalones deportivos de tela suave. María no debería sorprenderse de que la sensación del agua chorreándole por la cara ponga a su hija al borde de la apoplejía.

No obstante, es necesario lavarle la cabeza, y María siente que si su hija sólo le diera la oportunidad, podría hacerse *sumamente* rápido. Si Elisa se calmara, su mamá tendría la oportunidad de minimizar las sensaciones que tanto la molestan. Entonces decide que tal vez una recompensa muy atractiva obre el milagro.

A Elisa le encanta dar vueltas carnero, pararse de cabeza, y realizar otras proezas atléticas. Suele decir que desea ganar una medalla de oro en los Juegos Olímpicos. María hará uso de este sueño para atraer su atención. Quiere sugerirle modos de facilitar el momento de lavarse la cabeza y ofrecerle algo irresistible; algo, que de todos modos, María tenía planeado darle: clases de gimnasia.

★ Primero, Hable Acerca De Ello ★

María espera hasta que un día Elisa regresa más orgullosa que fatigada. — ¡Hoy di una vuelta carnero hacia atrás! — anuncia. María le dice lo orgullosa que se siente, y Elisa inmediatamente inquiere: — ¿Puedo tomar clases de gimnasia?

–Sabes, Elisa – comienza María – creo que las clases de gimnasia son una gran idea. Me gustaría que las tomaras, pero en realidad quiero que hagamos un intercambio.

A Elisa se le ilumina el rostro, y su madre prosigue: – Si te lavas la cabeza todos los días al regresar de la colonia de vacaciones durante una semana sin hacer alboroto, te inscribiré en un curso. Y podrás continuar con las clases de gimnasia mientras te dejes lavar la cabeza.

– ¿En serio? – pregunta Elisa. – Pero, ¿me tengo que lavar la cabeza todos los días? María se da cuenta de que su hija está sopesando el pro y el contra, y la ayuda a tomar una decisión.

– Pero no del modo en que lo hacíamos antes. Creo que podemos encontrar una forma que no te moleste tanto. Para empezar, puedes estirar la cabeza hacia atrás, y yo te iré mojando el cabello poco a poco hasta que esté listo para el shampoo. Luego te pongo el champú, y cuando haya terminado de lavarte te inclinas hacia atrás, como si estuvieras flotando de espaldas, y así quitamos el shampoo y enjuagamos. Y si queda algo, levantas un poco la cabeza, y yo te termino de enjuagar con agua de una taza, pero como tu cabeza estará inclinada hacia atrás, no te mojarás la cara. María ha tratado de hacerlo así antes, pero Elisa se debatía con tal brusquedad que este método no funcionaba. – Y cuando estés lista, buscaremos una forma de desenredarte el cabello para que no sientas los tirones. Voy a comenzar por las puntas y subir lentamente, y apuesto a que apenas lo sentirás.

– No sé – murmura Elisa entre dientes.

– Probaremos esta noche – dice María asertivamente. – Luego tú decides.

La elección depende de Elisa. No se siente acorralada. En realidad, María la siente esperanzada. Para endulzar un poco las cosas, María ofrece a Elisa omitir el lavado de cabeza cuando llueve, ya que estará jugando a cubierto. Elisa, que no es tonta, pregunta si los días de lluvia cuentan para la semana.

Pero María tampoco es tonta, y rápidamente ríe y asiente.

★ El Plan De Recompensas ★

Esa noche, Elisa se mete en la bañera sin hacer escándalo, y María le va hablando a medida que lleva a cabo los pasos. Funciona casi de maravillas. Elisa acepta el "pacto" y, para realizar la importancia de su ofrecimiento de llevarla a clases de gimnasia, María saca un Contrato *(para tomar uno en blanco, ver la sección Gráficos Separables [No. 19])*. Elisa está intrigada, y pregunta para qué sirve el Contrato. Su madre le explica que cuando los adultos

hacen un acuerdo comercial, generalmente firman un contrato para cerrar el trato y asegurarse de que cada participante cumpla con la parte que le corresponde. – Escribamos con toda exactitud lo que cada una de nosotras se compromete a hacer – propone María.

Llena el Contrato, ambas lo firman, y María escribe la fecha. Para ayudar a Elisa a llevar la cuenta (y también para que vea lo cerca que está la recompensa), María utiliza la Grafico de Chequeo Diario. (Hay un modelo de este gráfico en la pág. 103 de la Parte III. Para tomar una en blanco, ver la sección Gráficos Separables [No. 3]).

★ Los Hechos ★

Aparte de evidenciar una leve tensión corporal durante los tres primeros días, Elisa coopera mucho más. Esa semana no llueve ningún día, y Elisa recibe cinco marcas positivas. María repite a menudo que se ha convertido en una niña mayorcita, y a la tercera semana, Elisa entra en la bañera con la misma confianza con la que salta del trampolín.

QUITANDO LA SUCIEDAD

Manuel (10 años), siempre se ensucia cuando juega. Es un niño activo que trepa a los árboles, se encuentra muy a gusto en la cancha de baseball, y le encanta montar en bicicleta por los charcos. A la hora de la cena, está *muy* sucio y tiene *mucho* hambre. Esta dista de ser la mejor de las combinaciones.

Patricia ha insistido en que su hijo se lave la cara y las manos antes de comer, pero trabaja muchas horas y a menudo llega tarde a casa, justo sobre la hora de la cena, cuando Manuel y su papá ya están sentados a la mesa. Sebastián es escritor; trabaja duro sin salir de casa, suele estar abstraído, y la cara y manos sucias de su hijo no le afligen ni la mitad que a Patricia. En realidad, apenas si las registra y, cuando lo hace, le sugiere a Manuel que se lave, sin darle demasiada importancia al asunto y conformándose con que su hijo, para "cumplir", pase dos segundos bajo el grifo abierto, se sacuda la suciedad y, por así decirlo, se lave en seco.

Al regresar a casa, lo último que Patricia necesita, después de una agotadora jornada de trabajo, es encontrarse con la carita y manos sucias de Manuel esperándola en la mesa de la cocina. Aunque a veces piensa que debería estar más agradecida, ya que Sebastián ha preparado la cena y supervisado las actividades extraescolares de Manuel, por lo general lo primero que hace es reprender a su hijo, y luego a su esposo por no haber hecho que se lavara como corresponde. Le cuesta creer que vive con dos personas que no parecen darse cuenta de que no es saludable ni civilizado sentarse a comer luciendo el último grito de la suciedad. – Pero, ¡es un varón! – ríe Sebastián, divertido, tal vez transmitiéndole indirectamente que se siente agraviado por la desaprobación que entra por la puerta junto con ella. – ¡Los varones somos así!

Patricia termina sintiéndose una extraña y, por añadidura, una caprichosa.

★ Primero, Hable Acerca De Ello ★

Patricia decide que el primer paso para la resolución del problema es asegurarse que Sebastián la ayude de manera sistemática. Para conseguir su objetivo, se percata de que debe disculparse por sus rezongos y expresarle su agradecimiento por todo lo que él hace. Luego de pensar seriamente, una noche Patricia se sienta a solas con Sebastián. – Lamento que lo primero que hago al llegar es quejarme. Me encantaría sentarme y felicitarte por la cena. Pero me cuesta mucho hacer la vista gorda a la suciedad de Manuel. Sebastián no podría estar más sorprendido por la disculpa. A su vez, él pide perdón por no ocuparse de que Manuel

adquiera hábitos mejores. Patricia sugiere un Plan de Recompensas donde cada uno de ellos tenga que lograr una meta. Patricia se guardará de rezongar, Sebastián se hará cargo de que Manuel se lave para la cena, y Manuel cooperará lavándose concienzudamente.

★ El Plan De Recompensas ★

Un sábado por la mañana, Patricia y Sebastián le presentan el plan a su hijo. Sebastián comienza: – Sabes, estoy empezando a pensar que tu madre tiene razón. No puedes sentarte a la mesa como si fueras una montaña de tierra con patas. Manuel los mira, sorprendido. No está acostumbrado a ver un frente unido.

Patricia tercia en la conversación: – Manuel, tienes que esforzarte en tu higiene, pero yo también tengo hacer mi parte de los esfuerzos. Es verdad que llego a casa muy cansada, pero eso no me da derecho a reprenderlos a papá y a ti casi antes de saludar. Si ustedes se ocupan de la higiene, yo me esmeraré para ser simpática cuando cenamos. Tal vez si todos hacemos nuestra parte, podemos pensar en una recompensa para compartir.

Manuel escucha atentamente, con una leve sonrisa jugueteándole en los labios.

Recurriendo a su creatividad, Sebastián propone la recompensa: – Dos semanas de limpieza antes de comer, ¡y todos a comer sundaes en Dessert Heaven!

La sonrisa de Manuel se abre. – Muy bien, supongo que podemos hacerlo – dice, tratando de ocultar su entusiasmo.

Patricia toma el almanaque de la cocina y dibuja una estrella sobre el segundo sábado a partir de la fecha. – ¿Qué tal si todas las noches hacemos una marca en el almanaque para llevar cuenta de nuestros progresos? – sugiere.

★ Los Hechos ★

Consciente de que él y su hijo son distraídos por naturaleza, Sebastián decide poner su reloj de pulsera para que suene a las 5.45, a modo de recordatorio para que Manuel se lave. Durante la semana siguiente, Patricia llega todos los días a las 6 y encuentra a su hijo limpio y sonriente. Esto es un bálsamo para su fatiga; así, se sienta a cenar con su familia y, en lugar de rezongar, sonríe con aprobación.

Patricia está absolutamente fascinada. Su hijo no sólo está aprendiendo a comer de manera más saludable y civilizada, sino que ha conseguido lo que más necesita en el mundo: unos padres que aunaron esfuerzos para ayudarlo a desarrollar hábitos mejores, proporcionándole, además, un momento feliz en la cena compartida, y un rato entretenido y sin tensiones.

El sistema de recompensas los ha ayudado a vencer los inconvenientes de la suciedad.

CAPÍTULO 8

¡ÉL ME PEGÓ PRIMERO!

LLEVÁNDOSE BIEN ENTRE HERMANOS

Uno de los problemas más desalentadores con los que se enfrentan los padres de dos o más hijos son las constantes peleas entre hermanos. Por una parte, es intolerable vivir en medio del rencor. Pero en el ámbito de las emociones, constituye un ataque a las fantasías a las que muchos padres y madres se aferran en la ilusión de que sus hijos crezcan juntos, confiando y apoyándose mutuamente. Por cierto, habrá cambios de palabras pero, con el paso de los años, aprenderán a apoyarse, a actuar como sostén en los momentos difíciles, y a convertirse en confidentes.

La realidad demuestra que muchos padres viven inmersos en ataques de nervios provocados por cartones rotos, peleas acerca de la propiedad de los juguetes, acusaciones iracundas de que aman a un hijo más que a los otros, y bajo la amenaza de un ocasional bloque de madera (parte de un juego para armar) peligrosamente cerca del ojo de un hermano. Es una desilusión difícil de sobrellevar, por no decir angustiosa.

Sin embargo, estas situaciones no necesariamente definen el destino de la relación. Lo primero que hay que tener en cuenta es que un cierto grado de burla, e inclusive de pelea física, son conductas normales y esperables entre hermanos. Lo segundo a considerar es la posibilidad de que usted, sin percatarse de ello, haga su aporte a estas peleas, y que tal vez existen formas sencillas de aliviar la tensión que a usted le pasan desapercibidas. No se trata de afirmar que usted es responsable por las fricciones, sino más bien que usted podría suavizarlas con mayor facilidad de lo que cree. Los niños se pelean por diversos motivos:

- Es posible que uno de sus hijos crea que usted es menos severo con el otro en función de lo que espera de él. Esto puede deberse a un sinnúmero de razones (edad, capacidad, temperamento, etc). Sin embargo, usted puede tratar de encontrar el modo de exigir menos al hijo que se siente abrumado por sus demandas al mismo tiempo que organiza los objetivos que el otro ha de proponerse. Esto puede ayudarlos a ambos.

- A los niños les resulta difícil creer que los padres cuentan con un bagaje de amor suficiente para todos los hijos. Es posible que usted pase más tiempo con su hijo menor, quien necesita mayor supervisión. Tal vez también necesita buscar un tiempo especial para compartirlo con su hijo mayor.

- El mero aburrimiento tiende a crear fricciones. Los niños no encuentran en qué ocuparse, entonces recurren el uno al otro para quemar energías. Este es el momento de ayudarlos a planear alguna actividad que puedan realizar juntos, o ponerlos en cuartos separados, cada uno de ellos abocado a su propio proyecto; por ejemplo, ladrillos para uno y rompecabezas para el otro.

- Tal vez sus hijos sientan que usted se apresura a tomar partido cuando se suscita una discusión. Es prudente escuchar las dos campanas antes de emitir algo que se parezca a un juicio o a un castigo. Por lo general, cuando se producen discusiones, se suele culpar a los hijos mayores. Pero los hermanitos menores pueden llegar a ser muy hirientes, y no es razonable esperar que sus víctimas se controlen con plena madurez.

- Su hogar puede estar pasando por un momento de tensión que los niños reflejan a través de su conducta. En la medida en que algunos niños prefieren convertirse en el centro de los problemas antes que tener que soportar las peleas de sus padres, u oírlos hablar sobre enfermedades u otros problemas que afectan a la familia, usted hará bien en conversar con ellos sobre el problema y, si corresponde, proporcionarles ayuda especializada.

- Finalmente, a veces ocurre que los hermanos se acostumbran a las peleas, y así dejan de desarrollar maneras más placenteras de estar juntos. Simplemente ocurre así y, aunque no disfrutan de la situación, no saben cómo romper el patrón ya establecido. En este aspecto, los Planes de Recompensa resultan sumamente útiles.

El diseño de su Plan de Recompensas para resolver la rivalidad entre hermanos depende de las edades de sus hijos. Cuando uno de ellos está aprendiendo a caminar, el plan debe centrarse más sobre la conducta de su hijo mayor, alentándolo a que controle sus impulsos de ira y que recurra a usted cuando se presenta un problema. Sin embargo, cuando se trata de niños mayores de 3 años, suele dar mejor resultado incluirlos a ambos por igual en el Plan de Recompensas. Sencillamente, usted debe estructurar el plan de modo tal que reduzca los niveles de competencia. Si uno de los niños obtiene una recompensa antes que el otro, sólo logrará atizar las llamas.

El presente capítulo contiene un modelo exhaustivo de un Plan de Recompensas destinado a
- hermanos de 6 y 8 años, respectivamente, que sostienen peleas frecuentes,

sumado a planes más breves para
- una niña de cinco años que maltrata a su hermanito de 2, y
- dos hermanas, de 10 y 9 años, que toman la ropa de la otra sin pedirla.

NO PELEAN SÓLO CUANDO DUERMEN

Diego (8 años) y Rolando (6 años) no cesan de pelear. La línea de sus conflictos es bastante predecible: Diego rehúsa compartir sus marcadores con su hermano, a lo cual Rolando responde con aullidos de furia. Por supuesto, Rolando sólo desea dibujar astronautas, igual que su hermano – un verdadero halago, pero no es así como Diego lo ve. Para él, es una pura interferencia. Herido y resentido, a veces Rolando se venga mamarracheando los dibujos de Diego con sus propios crayones. Diego se los rompe, llama a su hermano "bebé", y de vez en cuando le propina un cachetazo. Y así sigue...

Luego viene la contienda por el territorio. Aunque Ángela, la madre de ambos, ha tratado de convertir la habitación donde está el televisor en un lugar cómodo para los dos, la verdad (si bien no reviste demasiada importancia) es que una punta del sofá está un poquita más cerca de la pantalla. Diego cree que este lugar le pertenece. Al fin y al cabo, ahí era donde él se sentaba cuando Rolando recién estaba aprendiendo a caminar. Invariablemente, Rolando termina sollozando en el piso.

Finalmente, hay peleas por juguetes compartidos; por ejemplo, la enorme caja rebosante de Lego. En teoría, estos juguetes para armar pertenecen a ambos niños por igual. Pero, de algún modo, cuando juegan juntos, los dos quieren, al mismo tiempo, el mismo astronauta con el casco rojo, los pantalones azules y los zapatos blancos.

En ocasiones, las peleas no trascienden las palabras, pero otras veces se van a las manos. Primero vienen las acusaciones. Después las negativas. Las voces suben de tono. Ahí comienzan los gritos, llegan las lágrimas, y alguno de los dos recibe un coscorrón. Aunque por lo general el primer ataque físico proviene de Rolando, Diego no es lento para devolver los golpes. Ángela suele mandar a cada uno a su habitación, y la guerra cesa por un rato, pero Diego es rencoroso, y planea la venganza.

Estamos en enero. Los niños pasan largas horas encerrados en la casa, juntos, y la atmósfera se torna irrespirable. Diego murmura con frecuencia creciente: – Odio a Rolando. Ángela levanta el tono con mayor frecuencia, y la semana pasada, en un par de ocasiones, cacheteó a Rolando porque éste le había pegado a Diego. Ángela se da perfecta cuenta de que semejante ejemplo no es aceptable como modelo de resolución de conflictos.

Algo debe cambiar.

★ Primero, Hable Acerca De Ello ★

Ángela decide que lo más prudente es hablar con cada uno de sus hijos por separado. Le preocupa que, si habla con los dos al mismo tiempo, no harán otra cosa que echar la culpa al otro, sin prestar atención alguna a lo que ella tiene para decirles.

Primero aborda a Diego. – Diego – comienza, con tono cálido que no denota acusación. – Tú y Rolando han estado peleando últimamente mucho. Sé que él te hace enojar, y comprendo por qué. Debe ser muy frustrante cuando te arruina los dibujos. Y sé que no te gusta que se siente en tu lado favorito del sofá. Era donde tú solías sentarte todo el tiempo.

Diego dirige a su madre una mirada sorprendida. Se siente comprendido. Ella sabe que esto le representa un magnífico regalo. Y le da otro.

– Para peor de males, yo les grito, y eso no ayuda. Se supone que yo debería saber lo que está mal. Ángela se incluye como parte del problema porque desea que Diego mantenga sus defensas bajas, y también porque hay algo de cierto en su participación.

– Pero, sabes, Rolando te admira mucho. Es por eso que quiere usar tus marcadores. ¡Cree que dibujas tan bien! El te admira, Rolando.

– Pues me lo podría decir – Diego se queja.

– Bueno, los hermanos menores no suelen tener la capacidad de encontrar las palabras para expresar esos sentimientos. ¡A Rolando le cuesta mucho menos esfuerzo decirte que está furioso contigo! Pero se me

ha ocurrido una idea para resolver algunos de nuestros problemas, y vamos a conversar de ello en la cena.

Luego habla con Rolando, adoptando la misma postura libre de reproches. – Rolando, sé que últimamente no lo has estado pasando muy bien con Diego. Tú quieres usar sus marcadores para dibujar como él, y él no quiere compartirlos contigo. Siempre sientes que te arrebatan las mejores cosas, como el lugar en el sofá. Debe ser bastante difícil de soportar.

– Diego no es bueno – dice Rolando con sombrío.

– Sé que a veces no se comporta amablemente. Ustedes dos no son siempre amables el uno con el otro. No deberían emprenderla a los golpes. ¿Y sabes qué? A veces yo tampoco me comporto bien. ¡Te di un cachetazo! ¡Eso también está mal!

Rolando, sorprendido, mira a su madre. – ¡Es verdad! – dice.

– Ninguno de los tres comprende bien al otro ni lo aprecia como se merece. Pero tengo un plan para resolverlo. Lo vamos a conversar después de la cena, con el postre.

Para empezar con una nota positiva, después de la cena, Ángela sirve las paletas de helado favoritas de los niños (por suerte, les gustan las mismas). Ambos parecen encontrarse cómodos. Entonces, comienza la conversación.

– Tengo un plan para que los dos puedan a empezar a pasarla bien juntos – declara. – Creo que sé cómo ayudarlos a evitar las peleas y los gritos.

– Guau, basta de gritos – comenta Rolando con una mueca.

– Pues sí, haré lo mejor que pueda – ríe Ángela. – Lo que se me ha ocurrido necesita que todos nos controlemos un poco, pero al final va a venir una recompensa. Lo ha dicho en tono casual. Los niños chupan sus paletas. Con un regalo en el horizonte, ¿qué podría estar mal?

Ángela logró la aceptación.

★ El Plan De Recompensas ★

En lugar de idear un Plan de Recompensas individual para cada niño, lo cual contribuiría a los sentimientos de competencia y conflicto que ya experimentan, Ángela decide crear un plan único que requiera de la cooperación de los dos. Los niños formarán un equipo, y ganarán o perderán juntos. De esta manera, a ambos les conviene comportarse bien, y ayudarse mutuamente.

Ángela elige el gráfico de La Laguna Azul (*para tomar uno listo para usar, ver la sección Gráficos Separables [No. 11] al final del libro*) para llevar cuenta de sus progresos. Les explica que dos balsas correrán una carrera para llegar a destino, y que ambos niños compartirán la navegación de las dos. Luego les explica cómo funciona el plan. Una de las balsas, llamada *Brisa del Océano*, se moverá una casilla cada vez que los niños hagan una de las cosas siguientes:

- sentarse por turno en el lugar favorito del sofá durante un día
- expresar sus sentimientos de ira con palabras antes que con los puños
- ofrecer compartir un juguete (por ejemplo, los marcadores) con el otro, o
- hacer algo bueno para el otro

El segundo transporte, llamado *Balsa Andrajosa*, avanzará una casilla cada vez que

- se peleen a golpes
- Rolando estropee los dibujos de Diego, o rompa algo que le pertenece a su hermano, o que
- Diego lo llame "bebé" o utilice algún otro apodo hiriente

En razón de que el gráfico de La Laguna Azul se propone enfatizar las conductas positivas antes que las negativas, la travesía de *Brisa del Océano* es más larga. Esta balsa circula por el exterior del gráfico, que contiene 30 casillas, mientras que *Balsa Andrajosa* se desliza por las 12 casillas del rumbo interior. Ángela les explica que ella se ocupará de indicar la posición de las balsas dibujando una flecha

a través de una casilla cada vez que los niños adopten alguna de las conductas que ha listado.

Si *Brisa del Océano* llega a la Laguna Azul antes de que *Balsa Andrajosa* alcance los *Pantanos Sombríos*, los niños podrán hacer una excursión especial en ómnibus a su juguetería favorita, donde hay toda una pared repleta de objetos pequeños, tales como rompecabezas, muñecos de acción, y juegos. Cada uno podrá gastar 5$. Ángela opta por esta recompensa porque dará a los niños la oportunidad de participar en una actividad compartida en celebración de sus logros.

Con cierta preocupación, Diego nota que el recorrido de *Brisa del Océano* es más largo. Ángela le responde que es verdad, pero también les dice a los niños que las cosas que deben hacer para moverla son muy fáciles. Pronto verán que está en lo cierto. Todo lo que Diego tiene que hacer es ofrecer a Rolando ayudarlo a armar un gato con los Lego, y Rolando no tiene más que ayudar a Diego a encontrar una pieza para su avión.

★ Los Hechos ★

Mientras los niños terminan su helado, Ángela termina de explicarles las reglas del plan. Les entusiasma el gráfico de La Laguna Azul y la excursión en ómnibus, por lo cual Diego enseguida ofrece a Rolando sus marcadores. Rolando está resplandeciente, y Ángela, feliz, felicita a

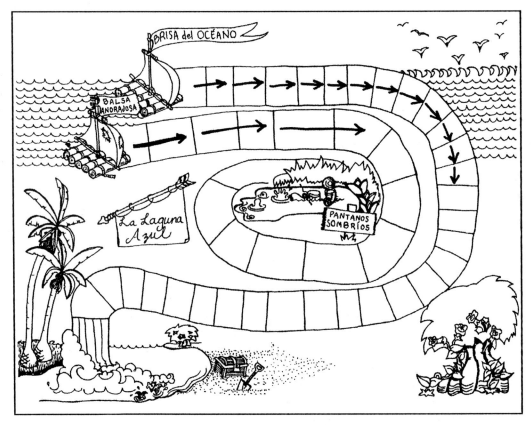

Gráfico "La Laguna Azul"

Diego y dibuja la primera flecha en la ruta de la *Brisa del Océano.*

Diego, que parece tener su lista propia, sugiere jugar con los Legos, y durante los primeros 10 minutos ambos niños corren varias veces a la cocina a contarle a su madre que han compartido un juguete. Ángela percibe que el entusiasmo que ha despertado el gráfico no durará mucho más, así es que continúa alabando a sus hijos y, con gran solemnidad, dibuja flechas para impulsar el avance de la *Brisa del Océano.*

Concluido el primer día, esta balsa se ha movido ocho casillas, y la *Balsa Andrajosa* no se ha movido del punto de partida. Durante los días subsiguientes, reina una paz inusual en el hogar. Aunque las conductas positivas prevalecen (ahora la *Brisa del Océano* ha llegado a la casilla No. 14), ha habido algunos problemas. La *Balsa Andrajosa* sólo ha avanzado cuatro casillas, de modo que la otra le lleva ventaja. Anticipándose a posibles conflictos, Ángela sugiere a los niños que hagan algo amable o útil para el otro: así, la vela de la *Brisa del Océano* estará preparada para aprovechar el viento. La idea les causa gracia, e intercambian juguetes. Ángela sabe que, al momento de adoptar estas conductas, el impulso no nace del corazón, pero el clima del hogar es positivo y los sentimientos entre los hermanos han mejorado.

Luego, sucede lo inevitable. En la noche del cuarto día, Rolando y Diego pelean un par de veces a causa de unos juguetes. Ahora, la *Balsa Andrajosa* avanza dos casillas, y los niños se culpan mutuamente por ello. Ángela se apresura a encaminar a los niños hacia una oportunidad de progreso positivo. — ¿Piensan quedarse sin hacer nada mientras la *Brisa del Océano* queda a la deriva? — los desafía. Sobreviene una rápida reacción, puesto que los niños deciden ayudarse a limpiar sus habitaciones. *La Brisa del Océano* cobra ventaja, y los niños se olvidan de la pelea.

Sin embargo, los conflictos no terminan acá. Al día siguiente, Diego acude a su mamá llorando y le muestra un dibujo que Rolando ha arruinado. Ella percibe que se enfrenta a una cuestión delicada. No tendrá más remedio que mover la *Balsa Andrajosa* una casilla, pero no quiere que Diego se enoje con su hermano hasta el punto de desvanecer el tono positivo del plan. Consuela a Diego y le promete hablar con Rolando para ayudar al hermano mayor a ganar puntos para la *Brisa del Océano.* Se lleva a Rolando a un costado, y éste exclama: — ¡Diego no me dejaba usar sus marcadores!

Ángela le dice que lo comprende, pero que estropear los dibujos de Diego no está bien, y que tal vez pueda hacer avanzar a la *Brisa del Océano* usando sus propios crayones y haciendo un dibujo de disculpas para Diego. Rolando dibuja un corazón, y la *Brisa del Océano*

avanza, pero a Ángela no se le escapa que Diego todavía está tenso.

Mientras los niños juegan, Ángela de pronto ve la oportunidad de utilizar la técnica de configuración. Diego decide tomar otro juguete y se asegura de conservar cerca de sí el que tal vez quiera volver a usar. Inmediatamente, Rolando se apodera de él. Antes de que Diego pueda abrir la boca, Ángela exclama: — ¡Qué bien, Diego! ¡Estás compartiendo un juguete con Rolando! ¡La *Brisa del Océano* vuelve a navegar! Diego la mira sorprendido, y luego esboza una amplia sonrisa.

A medida que transcurren los días, Ángela nota que los niños están aprendiendo que el alentar las buenas conductas en el otro y ser tolerantes y serviciales cuando uno de los dos se pasa de la raya finalmente redunda en su beneficio. Una tarde, oye a Diego advertir a Rolando que no le vuelva a pegar porque sólo logrará que la *Balsa Andrajosa* se haga nuevamente a la mar. Ángela no incluye este incidente en la cuenta porque Diego no le informó que Rolando le había pegado. En verdad, los niños se han esforzado, y ella quiere asegurarse de que el plan terminará con una nota positiva.

★ Las Recompensas Invisibles ★

Después de haber ganado la recompensa, la conducta de los niños se mantiene mucho más amigable que antes de la implementación del Plan de Recompensas. Aunque las peleas no han cesado del todo, la interacción entre ambos ha mejorado considerablemente. Ángela los ayudó a romper un patrón de conducta destructiva en el que habían quedado presos y eran desdichados.

Diego y Rolando también aprendieron una interesante lección acerca de las concesiones recíprocas. A fines de febrero, luego de una fuerte nevada, los niños se peleaban por ocupar un determinado asiento en el trineo. Diego sugirió dibujar un gráfico en la nieve para turnarse en el asiento, y Rolando estuvo de acuerdo. ¡Con una ramita quebrada, hizo el gráfico!

Ángela sabe que la rivalidad entre los hermanos no ha terminado en forma definitiva. Pero ahora reina un clima de sentimientos más cálidos, y sus hijos han compartido una larga experiencia de disfrutar en compañía. Ella siente que ha contribuido a cimentar algo que ayudará a que los niños se mantengan unidos cuando crezcan. Y también, como madre, sabe que ha tomado las riendas. En lugar de sentirse culpable por perder los estribos, se enorgullece de haber encontrado la forma de que cada uno de sus hijos aprecie al otro.

★ También Funciona Para... ★

Un Plan de Recompensas que requiere conductas correctas fáciles pero frecuentes a la vez que castiga los comportamientos indeseables rompe patrones que provocan infelicidad. Este tipo de plan ofrece una manera atractiva de poner coto a las conductas negativas al tiempo que alienta las positivas. El gráfico de La Laguna Azul puede usarse para llevar cuenta de la conducta de uno o más niños. El desafío no es demasiado grande, el éxito llega pronto, y los castigos sirven de suave recordatorio para que los niños se empeñen en el camino deseado. Un plan de estas características funciona bien para conductas tales como

- utilizar lenguaje apropiado y evitar las malas palabras
- hacer gala de buenos modales, y
- usar casco de seguridad para montar en bicicleta o patinar.

AYUDANDO A LOS HERMANOS MAYORES A ENCONTRAR UNA FUNCIÓN SATISFACTORIA

Estela (5 años) afirma que ama a su hermano Juanito, de 2. El caso es que no puede quitarle las manos de encima. Le gusta tomarlo en brazos y darle un fuerte abrazo (quizás demasiado fuerte), o cargarlo de un lado a otro en una posición incómoda (para él, claro), o arrojarlo sobre su propia cama en un éxtasis que no suena a tal. – ¡Adoro a Juanito! – dice con alegría. A Estela también le fascina "darle unas lecciones" cuando el pequeño intenta hacer cosas que sabe que Alicia, su mamá, no permitiría. Si Juanito trata de trepar a los banquillos de la cocina, Estela grita ¡No! y lo arranca de allí con brusquedad.

En repetidas ocasiones, Alicia le ha pedido a Estela que sea más suave. Le ha dicho que puede dejar caer a Juanito por accidente, y le ha pedido que la llame si el pequeño hace algo que no debe. Estela asiente con la cabeza, pero luego vuelve a su rol de hermana mayor con un alto grado de ambivalencia.

Alicia sabe que algo está mal. En efecto, es posible – aunque no siempre – que Estela se crea mayorcita "ayudando" a Juanito a moverse y a hacer cosas. Pero su mamá TAMBIÉN sospecha que su conducta está regida por los celos, y que su excesiva interacción física con su hermano es la forma en la que expresa su resentimiento por la mucha atención materna que el pequeño requiere.

Por supuesto, Estela podría ser de gran ayuda para su madre si entretuviera a Juanito mientras Alicia está preparando la cena, o si lo vigilara cuando van a la tienda. Pero son justamente esos los momentos en que Estela parece olvidar que tiene un hermano menor. Actúa como hermana mayor sólo cuando puede hacer lo que quiere.

A Alicia le gustaría que Estela disfrutara de su condición de hermana mayor: ¡podría hacer tantas cosas que la harían sentirse más crecida, más sabia y orgullosa! Por otra parte, Alicia necesita asegurarse de que Juanito no termine lastimado.

★ Primero, Hable Acerca De Ello ★

Alicia se percata de que en el pasado ha hablado a menudo con Estela de lo maravilloso que es tener un hermano menor. Se le pueden enseñar cosas, ayudarlo, divertirse jugando con él cuando sea un poquito mayor. Pero en este momento, Alicia decide cambiar de rumbo.

Comienza por compadecerse de la situación.

– Estela – dice – creo que tener un hermano menor tiene sus partes buenas y sus partes malas. Nosotras ya hablamos de la parte divertida, pero he estado pensando que debe ser difícil para ti cuando yo paso tanto tiempo con él, cuidándolo, bañándolo, y poniéndolo a dormir. Lleva mucho tiempo.

Estela permanece un instante en silencio. Luego comenta con voz queda: – Bueno, llora mucho. Dedica a su madre una mirada patética, como diciendo "Estoy un poquito cansada de él. ¿Eso está mal?"

– Sí, es verdad – Alicia le da la razón. – A mí tampoco me gusta oírlo llorar. Hace una pausa, y agrega: – Además, te extraño. Quiero pasar más tiempo contigo. Tiempo en privado – dice, cálidamente.

Estela se anima. – ¡Ah! ¿Y qué tendríamos que hacer?

– Vamos a hablarlo – responde Alicia. – Pero para que tú y yo podamos pasar más tiempo juntas, necesito que me ayudes con Juanito. Yo podría hacer todo más rápido, como preparar la cena y hacer las compras.

– Yo ayudo – replica Estela, mirando a su mamá un poquito a la defensiva.

Alicia quiere ser muy cautelosa en este punto porque Estela no es consciente de que el modo en el que trata a Juanito expresa un sentimiento que no es precisamente de cuidado.

– Yo agradezco todo lo que haces con Juanito, pero cuando lo cargas de un lado a otro, me preocupo por los dos. Podrías dejarlo caer por accidente, o tropezar y lastimarte. Sería mejor que jugaras con él en el suelo.

Estela se encoge de hombros. – Me gusta jugar con él a mi manera.

Alicia no puede menos que sonreír. – Sí, estoy segura de que es así – dice con dulzura. – Pero voy a tener que pedirte que me ayudes jugando con él de otro modo. Y si lo haces, tengo una gran idea para asegurarnos de poder hacer juntas algunas cosas muy especiales.

Estela se siente inmediatamente atraída cuando Alicia le ofrece una salida a la pista de patinaje sobre hielo en recompensa, las dos solas. Estela ha estado pidiendo tomar lecciones, y Alicia le propone que, si puede ayudarla como se lo pide durante una semana, la llevará a patinar con ella. Si se las compone para hacerlo una segunda semana, obtendrá una lección "profesional", y luego ambas irán a patinar el resto de la temporada.

– ¡Qué bien! – canturrea Estela. – ¿Qué tengo que hacer?

★ El Plan De Recompensas ★

Alicia ha elegido el gráfico "Bolsillos para Puntos" *(ver la sección Separables [No. 10] al final del libro)* para llevar cuenta de las conductas de Estela porque cree que a la niña le gustará el formato práctico. Además, dado que algunas de las interacciones entre Estela y Juanito pueden resultar en algún daño físico, siente que debe incluir un castigo por mal comportamiento, algo que este gráfico permite fácilmente.

Alicia le muestra a Estela lo que ha ideado. Ha cortado las piezas del gráfico y pegado los bolsillos de Puntos Ganados y Puntos Perdidos sobre él. Luego le pide a Estela que le ayude a recortar los talones de Puntos del Sol y Puntos de las Nubes para usarlos junto con el gráfico. Ayuda a Estela a colorear las nubes de gris y los soles de colores brillantes (Hay una ilustración del uso de este gráfico en la pág. 106 de la Parte III).

Alicia le explica a Estela que puede ganar un Punto del Sol si

- le avisa a su mamá cuando Juanito está en problemas
- le muestra libros a su hermano cuando Alicia está preparando la cena
- le enseña a Juanito una conducta nueva
- hace algo que haga feliz a Juanito

Estela obtendrá un Punto de las Nubes si
- alza a Juanito y lo carga
- lo tira sobre la cama en ausencia de Alicia
- lo baja a los tirones de una silla o banquillo

Alicia repasa las conductas con Estela, implementando un juego de roles para algunas de ellas de modo que Estela recuerde qué hacer para ganar Puntos del Sol y evitar Puntos de las Nubes. Le explica que se trata de ganar por lo menos 5 Puntos del Sol cada día, y no más de 2 Puntos de las Nubes. Para que Estela comprenda el objetivo de forma clara y concreta, Alicia toma el gráfico y dice: – Juguemos a que hiciste algo lindo por Juanito. Entonces pondrías un Punto del Sol en este bolsillo. Y si lo llenas con 5, 6, o más Puntos del Sol, lo estarás haciendo muy bien. Estela sonríe y coloca varios Puntos del Sol en el bolsillo de Puntos Ganados.

Pero – prosigue Alicia – tendrás que cuidarte mucho de no obtener demasiados Puntos de las Nubes. Si obtienes más de 2 en un día, ese día no podrás ganar una estrella, aunque tengas 5 Puntos del Sol. Y para que vayamos a patinar juntas, necesitas 7 estrellas. Cuando ganes una estrella, yo la pondré en este papel. Alicia le muestra a Estela un gráfico de Chequeo Diario (ver pág. 103). Y agrega: – Si un día no consigues una estrella, tendrás que esforzarte el doble el día siguiente. (Alicia ha decidido no exigirle a Estela que alcance la meta en 7 días consecutivos; no desea que fracase al final luego de haber tenido éxito unos cuantos días).

Para comenzar, Alicia coloca todos los puntos en el bolsillo Guardapuntos al pie del gráfico. Cada vez que Estela hace algo útil, Alicia pone un Punto del Sol en el bolsillo de los Puntos Ganados. Si hace lo que no debe, un Punto de las Nubes ingresa al bolsillo de los Puntos Perdidos. Al final de cada día, Alicia vuelve a poner todos los puntos en el bolsillo Guardapuntos, y si Estela ha cumplido el objetivo del día, Alicia coloca una estrella en la Lista de Seguimiento Diario.

Alicia cuelga el gráfico sobre la nevera, lo bastante alto para que Juanito no pueda llegar a él, pero no tanto que Estela no llegue, parándose de puntillas, a insertar sus puntos. Pensando que Juanito puede sentirse excluido, Alicia ha fotocopiado las hojas del gráfico y le ha dado un gráfico "Bolsillos para Puntos," con el que puede jugar como más le guste. Juanito imita a Estela, y durante un breve lapso, cada vez que le tiende un juguete, pide un punto. Alicia lo elogia y le da un punto para su gráfico. Es toda la recompensa que el pequeño pide, puesto que Juanito no comprende la relación entre los puntos y la pista de patinaje.

★ Los Hechos ★

La excitación que el Plan de Recompensas despierta en Estela se traduce en un hogar mucho más tranquilo. A fin de mantener positivo el tono del programa, Alicia trata de que Estela no pierda demasiados puntos (por ejemplo, cuando el estado de ánimo de la niña es francamente agresivo, su mamá le sugiere que juegue un rato en su habitación).

Pasada la primera semana, ha habido una considerable disminución de las conductas bruscas de Estela hacia su hermano, y Alicia la felicita con mucha frecuencia. Luego, Alicia le dice a Estela que la semana próxima tendrá que ganar por lo menos 7 Puntos del

Sol y no más de un Punto de las Nubes por día. Estela acepta este desafío mayor, y 8 días más tarde ha obtenido el derecho a su lección de patinaje.

Las recompensas evidentes consisten en los momentos maravillosos que Estela y Alicia van a pasar juntas, y en que Estela tendrá las lecciones que tanto ha deseado. Pero tal vez lo más importante sea que Estela se da a sí misma la oportunidad de percibir la admiración que Juanito siente por ella cuando se toma el trabajo de enseñarle algo nuevo (por ejemplo, gracias a ella, está aprendiendo los colores). Por cierto, en la tienda local, un comprador que escuchó a Estela decir: "¿Ves, Juanito? ¿La caja roja de galletas?", comentó en voz alta: – ¡Qué buena hermana eres!

Alicia se dio cuenta de que Estela se sintió como el sol, la luna y las estrellas.

NO TOMAR SIN PEDIR PRESTADO

Melissa (10 años) y Katrina (9) no han dominado el arte de compartir. De algún modo, "pedir prestado" adoptó la definición de tomar sin pedir prestado, con la intención de devolver, pero sin preocuparse por el tiempo en que el objeto en cuestión era retenido ni por el estado en que se encontraba entonces. (Esto sucedió con un conjunto de sudadera y falda: la sudadera estaba en perfecto estado de conservación, pero la falda se había manchado). La pérdida o rotura de objetos prestados provoca una suerte de "amnesia" que hace que la persona que tomó el objeto olvide haberlo hecho. (Esto suele ocurrir con pulseras de plástico, cuentas, o broches para el cabello). Las palabras "¿Me prestas...?" sólo salen de los labios de estas niñas cuando quieren algo que no pueden tomar sin pasar desapercibidas. Pero si la respuesta es no, a veces lo toman de todos modos, alegando: – "Era egoísta de su parte; yo lo necesitaba y ella no". (Dicho en ocasión de una fiesta a la cual sólo una iba a concurrir).

Estefanía, la mamá de ambas, ve que cada una de sus niñas parece sentir que la otra tiene más o mejores cosas. También resulta claro que ni Melissa ni Katrina respetan las necesidades y deseos de la otra, contribuyendo así a un clima de celos y desconfianza. Estefanía sabe que la poca diferencia de edad entre ellas podría constituir una fuente importante de apoyo mutuo. Desea ayudarlas a andar este camino, antes de que los conflictos que las separan se vuelvan tan enquistados que impidan toda posibilidad de cambio en el corto plazo... o, quizás, para siempre.

Gráfico de Seguimiento

SEGUIMIENTO Melissa		
PEDIR PERMISO	ACCEDER A COMPARTIR	EXPLICAR LA NEGATIVA A COMPARTIR
✓Sudadera púrpura	✓Brazalete de corazones	✓La sudadera podría ensuciarse
✓Broches para el cabello con estrellas	✓Pantalones deportivos	
	✓Camisa negra	
✓sweater azul		✓Lo reserva para una fiesta

★ Primero, Hable Acerca De Ello ★

Un domingo por la mañana, cuando ninguna de las niñas está furiosa por algún objeto "prestado", Estefanía se sienta a hablar con ellas. – Niñas, – comienza – estas discusiones acerca de quién puede usar las cosas de quién, y quién toma prestado qué, y quién no puede tocar esto o lo otro tienen que terminar.

– ¡Pero ella siempre me saca mis cosas! – gritan ambas niñas, casi al unísono.

– Ya lo sé – responde Estefanía, en tono apacible. – Pero son muchas las ventajas de tener una hermana que usa el mismo talle. A las dos les gusta tomar prestado, pero a veces es difícil encontrarse con que algo está prestado, especialmente si no lo saben.

Las niñas se tranquilizan. Estefanía ha conseguido hacerlas pensar de manera positiva, y ahora están en mejor posición para trabajar juntas.

La mamá prosigue: – Tengo un plan para ayudarlas a compartir, y creo que las va a hacer sentir bien. Las va a ayudar a reconocer lo que no pueden tomar de ninguna manera, lo que sí pueden, y cómo pedir algo prestado. Seré muy clara. Y si ponen empeño, tendrán la oportunidad de ganarse esas sudaderas bordadas que tanto desean, una para cada una (¡las sudaderas bordadas son una de esas prendas "imprescindibles" en este momento de la moda!)

★ El Plan De Recompensas ★

Estefanía le da a cada niña un gráfico de Seguimiento (*para tomar uno en blanco, ver la sección Separables [No. 2] al final del libro*), y titula la primera columna "Pedir permiso"; la segunda, "Acceder a compartir"; y la tercera, "Explicar la negativa a compartir". Les informa que va a llevar cuenta de estas conductas durante 3 semanas. Les dice que ambas tienen derecho a negarse a un pedido, pero que tienen que anotar los motivos. Llevando cuenta de esta manera, si después surge un conflicto, Estefanía podrá evaluar las razones y, probablemente, ayudarlas a partir las diferencias.

Luego pide a las niñas que conversen y se pongan de acuerdo respecto de cuáles serían buenas razones para negarse a un pedido, ya se trate de prendas de vestir o de cualquier otra cosa. Llegan al siguiente acuerdo:

* Es algo nuevo, que su dueña sólo ha usado una o dos veces
* La dueña teme que la hermana que lo pide prestado lo ensucie, porque lo usará en un picnic o algún lugar por el estilo
* Una de ellas desea usar el objeto en cuestión
* Se trata de un objeto muy especial para la dueña. Entre las tres, deciden que esto se aplica a unos pocos objetos convenidos de antemano. Se sus-

cita una breve discusión antes de que se pongan de acuerdo acerca de cuáles serían estos objetos. Finalmente, cada una de las niñas se decide por cinco artículos que la otra no puede pedir.

Para concluir, Estefanía explica a las niñas cómo llevar cuenta de sus logros en compartir:

1. Cada vez que una de las niñas pida prestado un objeto, obtendrá una marca en la primera columna de su gráfico, y anotará de qué artículo se trata.
2. Cada vez que una de las niñas acceda a compartir, obtendrá una marca y anotará de qué artículo se trata en la segunda columna.
3. Cada vez que una de las niñas explique por qué se niega a compartir, obtendrá una marca en la tercera columna, donde, además, anotará las razones.

Estefanía y sus hijas acuerdan que, pasadas tres semanas, Melissa y Katrina obtendrán la sudadera bordada si cada una de ellas ha pedido permiso para tomar algo prestado por lo menos 15 veces y ha accedido a compartir por lo menos 10 veces.

Si una de las niñas acumula mayor puntaje que la otra, Estefanía esperará a que la segunda la alcance y recién entonces comprará las sudaderas. (Llegado ese punto, Estefanía espera un aluvión de pedidos y respuestas afirmativas, para así apresurar la compra de las sudaderas).

★ Los Hechos ★

Las niñas se abocan al plan sin inconvenientes y pasan una considerable cantidad de tiempo hojeando catálogos. Muy pronto, el gráfico de Seguimiento se llena de marcas, y las riñas disminuyen notablemente. Para cuando se han ganado las sudaderas, una vez en la tienda, llegan a consultarse acerca de los colores que les conviene elegir para poder intercambiar con el mismo entusiasmo.

Las niñas han logrado trabajar en equipo. Ellas no lo ven, pero está clarísimo para su madre, que se siente más que feliz.

CAPÍTULO 9

"¡LO HARÉ MÁS TARDE!"

REALIZANDO LAS TAREAS DEL HOGAR

A ningún niño le gusta realizar las tareas del hogar. No son divertidas, y requieren autodisciplina. Constituyen una *responsabilidad*. Cuando a un niño se le pide que tienda las camas, que ponga la vajilla en el lavavajillas, que doble la ropa lavada, ponga la mesa, barra después de la cena, o saque los recipientes de basura, siente que sólo se trata de obligaciones de las que no quiere hacerse cargo y que le quitan tiempo. ¿Y por qué no habría de ser así?

Al fin y al cabo, Pedro, el vecino, no tiene que hacer nada de esto. Además, ¿no basta con que lo que me canso en la escuela? ¿Y qué hay del tiempo destinado a jugar? ¿Y de las actividades extraescolares? Y, de todos modos, "¡Soy sólo un niño!"

Para la mayoría de los padres, conseguir que los niños hagan las tareas hogareñas que les corresponde representa un esfuerzo agotador. Es probable que usted haya sido criado con pautas que incluían una serie de tareas que debía llevar a cabo. Casi no caben dudas de que sus padres realizaban una inmensidad de tareas en la infancia, tareas que le habrán mencionado *ad infinitum* cuando usted era niño. En la adolescencia, es probable que haya pensado para sus adentros: "Cuando yo tenga hijos, no los voy a obligar a hacer nada de esto".

Bueno, ahora lo tiene. Lo cierto es que usted no desea sobrecargar a sus hijos. Ve que sus días están muy ocupados. Por otra parte, también habrá aprendido que a sus padres y abuelos no les faltaba razón. Al tomar parte en el manejo de la casa, se va forjando el carácter. Subraya la noción de que uno forma parte de una familia cuyos integrantes se necesitan unos a otros tanto en lo práctico como en lo emocional. Además, por pequeña que sea, la ayuda que puede brindar un niño a dos padres que trabajan o a un progenitor sin pareja marca una diferencia considerable.

Siendo así, ¿es adecuado ofrecer recompensas en estos casos? ¿No deberían los niños realizar la tarea que fuere sin más ni más? Muchos padres defenderían esta postura. El problema reside en que los tiempos han cambiado. Sus hijos no se están criando en una sociedad donde los niños tienen que "trabajar", y es probable que las diversas familias que visitan tengan una amplia gama de expectativas, una de las cuales bien puede ser que los niños presten poca o ninguna ayuda en el hogar. Este ambiente permite que los niños adopten su propia posición, que discutan con usted, o que se rebelen. No hay normas establecidas.

Se da por sentado que la promesa de recompensas costosas socavaría el propósito y la lección que encierra la realización de estas tareas. Sin embargo, no es irrazonable considerar recompensas modestas, junto con charlas acerca de cómo las tareas hogareñas representan una actitud de cuidado hacia la familia. Su Plan de Recompensas puede involucrar a toda la familia, lo cual no es mala idea si pensamos que estas tareas sirven al bien común, aunque el plan también puede estar dirigido a una pareja de hermanos o a un niño en particular.

Si lo que usted se propone es involucrar a toda la familia en un calendario de tareas concretas, una salida juntos puede actuar como incentivo. Puede aprovecharla para enfatizar que, cuando todos contribuyen al manejo del hogar, queda más tiempo para disfrutarlo en familia. Lo esencial de realizar estas tareas reside en que constituyen la viva expresión de la unidad familiar – una unidad que es de por sí un regalo. Al realizar una tarea, se demuestra verdadera responsabilidad y respeto mutuos.

Si su Plan de Recompensas está destinado a una pareja de hermanos o a un solo niño, es lógico asociar su desempeño con una asignación semanal. Esta conexión entre la tarea y el dinero es una manera de decir: "Sé que una asignación te simplificaría la vida, pero debes trabajar en unidad con nosotros y contribuir a que todos nos sintamos más cómodos". Así estará intercambiando expectativas razonables: sus hijos esperan una asignación, y usted necesita ayuda.

El presente capítulo contiene un modelo exhaustivo de un Plan de Recompensas para
- una familia con hijos de 10 y 7 años respectivamente, en la cual todos participan del plan,
sumado a planes más breves para
- una niña de 5 años que no recoge sus juguetes, y
- un niño de 9 años que se resiste a realizar tareas domésticas.

TODOS TRABAJAMOS JUNTOS

Natasha (10 años) y Dante (7 años) no logran finalizar las tareas que les han asignado con puntualidad, eficiencia y responsabilidad. Siempre las han encarado de mala gana, y Rocío, su madre, ha tenido que recordárselas con frecuencia, amén de alguna reprimenda ocasional. Ahora Rocío trabaja más horas, y tiene menos paciencia con la actitud de sus hijos. Últimamente tiene la sensación de haber aceptado un empleo de tiempo parcial: rezongarle a la familia.

Rocío les ha pedido a los niños que, juntos, pongan la mesa y luego retiren la vajilla. Después, Natasha debe ayudar a poner los utensilios sucios en el lavavajillas. En la escena típica, los niños terminan por acusarse el uno al otro, alegando que han hecho más de lo que les correspondía y, a menudo, se marchan dejando las cosas a medio hacer.

Rocío también les ha pedido que se ocupen de una tarea durante el fin de semana. Los sábados por la mañana, Natasha debe separar y doblar la ropa lavada, y Dante debe guardar su ropa en los cajones. Pero Natasha casi nunca hace lo que le han pedido, porque está ansiosa por salir a jugar con sus amigas. La mayor parte de la ropa lavada queda abandonada frente al armario del lavadero, sin terminar de separar. Dante arrastra los pies mientras guarda su ropa; por lo general, sólo la mitad llega hasta su habitación, puesto que mete lo que entra de cualquier manera en algún cajón que le quede más a mano. El resto se apila en el piso, y sirve de cómoda almohada al gato de la casa.

Pero Rocío no sólo ha estado rezongando con los niños. Ahora que sus horas de trabajo se han alargado, le gustaría que Martín, su esposo, ayudara un poco más en la casa. Si él preparara la cena o lavara las ollas, Rocío dispondría de más tiempo para ayudar a los niños con sus tareas escolares.

★ Primero, Hable Acerca De Ello ★

Rocío habla con Martín y le pregunta si estaría dispuesto a probar un Plan de Recompensas. Le dice que lamenta haber perdido los estribos porque él no ayudaba un poco más: ella comprende que Martín trabaja duro en su empleo, pero a Rocío, adaptarse a su nueva carga horaria le resulta más difícil de lo que había imaginado. Martín acepta bien el pedido de disculpas, y le dice que él, a veces, está tan cansado por las noches que no puede hacerse a la idea de levantarse de la silla y ayudarla en la cocina. Pero se da perfecta cuenta de que ella también se siente muy cansada.

Martín dice que, al igual que Rocío, se siente frustrado por los gimoteos y resistencias de sus hijos a hacer las tareas que les corresponden. Sin embargo, se muestra escéptico ante el Plan de Recompensas. Esto no sorprende a Rocío: en realidad, ella ya ha pensado en la manera de hacérselo atractivo. Toda la familia tendrá que trabajar para ganar puntos, y el trabajo de *ella* consistirá en rezongar menos. Martín suelta una risita y responde: – ¡Vaya, no es mala idea!

Y así accede a implementar el plan.

Martín siempre ha querido instalar, al modo de una tradición, que toda la familia vaya a cenar a Renzo's – el restaurante italiano del vecindario – los domingos por la noche. Los niños lo disfrutan mucho, particularmente el *spumoni*. En otros tiempos, Rocío se había opuesto porque se sentía obligada a controlar el presupuesto mensual. Pero ahora la situación económica es un poco más holgada. Rocío y Martín deciden que cenar afuera será una gran recompensa para toda la familia.

El domingo por la noche, Rocío y su esposo se sientan con los niños e inician una conversación acerca de las distintas tareas. A fin de mantenerla en un tono positivo, en lugar de dirigir sus críticas a la irresponsabilidad de los niños, prefieren hacer hincapié en lo agradable que sería tener una vida familiar más feliz.

– Me gustaría que tuviésemos más tiempo para hacer cosas divertidas juntos – comienza Rocío. – Tengo la sensación de que cuando estamos todos, mi única ocupación es estarles encima para que hagan las tareas de la casa.

Natasha y Dante no abren la boca. No están seguros de dónde lleva esta conversación.

Martín interviene para introducir el Plan de Recompensas. – Su madre y yo hemos estado pensando en cómo ser más felices haciendo el trabajo necesario para que esta familia salga adelante. Pensamos que podemos armar un gráfico con las tareas de cada uno y llevar cuenta de cómo lo vamos cumpliendo. Y si todos hacemos nuestras tareas cada semana, los domingos podemos ir a cenar a Renzo's, para festejar.

A Natasha se le ilumina el rostro. – ¿Puedo pedir *spumoni*? – pregunta.

– Por supuesto – responde su padre – ¡si me convidas un poquito!

– Pero creo que todos vamos a tener que esforzarnos más para hacer las cosas bien – advierte Rocío. Luego de una breve pausa, inquiere: – ¿En qué creen que voy a trabajar yo?

Los niños la observan con curiosidad.

– ¡Voy a poner mi empeño en dejar de gritarle a todo el mundo! – anuncia la madre.

Natasha y Dante intercambian una mirada y son-ríen. Martín también lo hace. Y Rocío sonríe para sí. Lo que ellos ignoran es que el suyo bien puede ser el trabajo más sencillo y satisfactorio.

★ El Plan De Recompensas ★

Rocío les explica a los niños que todos obtendrán marcas cuando hagan sus tareas. Si cada uno de ellos se esfuerza al máximo durante la semana, irán a cenar a Renzo's el domingo por la noche. En vez de especificar el número exacto de marcas que hace falta conseguir, Rocío deja claro que la recompensa depende de que *todos* hagan el esfuerzo. Cuenta con que nadie va a querer aparecer como el flojo.

Trae una hoja de papel y sugiere pensar cuáles serán las metas de cada uno. Rocío ya había hecho algunas anotaciones preliminares:

Mamá: *pide ayuda amablemente.*
Papá: *ayuda a preparar la cena o a lavar la vajilla,*
Natasha: *ayuda a Dante a poner la mesa y a retirar la vajilla, pone la vajilla sucia en el lavavajillas, y separa y dobla la ropa lavada.*
Dante: *ayuda a Natasha a poner la mesa y a retirar la vajilla, y guarda su ropa limpia.*

– Bueno, ¿todo el mundo sabe lo que tiene que hacer? – pregunta Rocío.

Martín mira la lista y ríe. – ¡Parece que los niños tienen que hacer más que nosotros! Rocío alza las cejas. – ¡Ya lo creo! – dice, siguiéndole el juego a su esposo.

Martín continúa: – Veamos. ¿Hay alguna otra cosa que hagamos nosotros?

Se vuelve a los niños y les pide que le ayuden a hacer una lista de las tareas que realiza su madre.

Por un momento, los niños callan. Luego Dante exclama: – ¡Mamá, tú cocinas! Rocío le dedica una sonrisa. – Bueno, supongo que sí.

Natasha, que no gusta de quedarse atrás, rápidamente enumera las responsabilidades de Rocío: – Dante, mamá se ocupa del lavado, de la limpieza, de las compras, nos prepara el almuerzo para la escuela, paga las cuentas...

– ¡Epa! – protesta Martín. – ¡No puedo escribir tan rápido!

Rocío le sugiere resumir sus tareas con la frase "Mamá mantiene la casa en marcha".

Natasha y Dante asienten, evidentemente impresionados por la cantidad de tareas que hace Rocío, algo en lo que no habían pensado antes.

Nuestro Gráfico de tareas familiares — ¡VAYAMOS A RENZO'S!

	Lunes	Martes	Miércoles	Jueves	Viernes	Sábado	Domingo
Mamá • mantiene la casa en marcha • pide las cosas amablemente • le pregunta a papá como estuvo su día	✓ ✓ ✓	✓ ✓ ✓	✓ ✓ ✓				día libre ¡Cena afuera!
Papá • mantiene todo en marcha • ayuda con la cena	✓ ✓	✓ ✓	✓ ✓				
Natasha • pone la mesa • retira la vajilla • acomoda ropa limpia	✓	✓	✓				
Dante • pone la mesa • retira la vajilla • guarda su ropa limpia	✓	✓	✓				

DISÉÑELO USTED MISMO

Gráfico "Diséñelo Usted Mismo"

Luego llega el momento de resumir las tareas de papá. Después de una lluvia de ideas por parte de los niños, Rocío resume la larga lista resultante con la frase "Papá mantiene en marcha todo el resto". Luego, dirigiéndose a los niños, les dice que ha pensado sobre las tareas de ellos y que le parece mejor que se turnen para poner la mesa y levantar la vajilla en lugar de hacerlo juntos. Un día Dante pondrá la mesa y Natasha retirará la vajilla, y al día siguiente invertirán los roles. A pesar de la importancia del trabajo en equipo, Rocío piensa que compartir estas tareas da lugar a que sus hijos, que rivalizan entre sí, no sientan que uno u otro hace menos de lo que debe.

– Ahora, niños, ¿saben lo que tienen que hacer? – pregunta Rocío.

Natasha está pensativa, con el ceño levemente fruncido. – Sé que no tenemos que hacer tantas cosas como papá y tú. Pero ustedes son grandes, se supone que tienen obligación de hacerlas – dice Natasha, tanteando el terreno. Luego vuelve su atención a su propia lista de tareas. – Es bueno que Dante y yo nos turnemos. Pero... – y se detiene.

Rocío ve venir lo que sigue. Sin embargo, aunque le encantaría escuchar que todos quieren formar parte del equipo, calcula que es mejor que Natasha exprese sus reservas acerca de la asignación de tareas ahora.

– ¿Qué pasa, Natasha? – la alienta a hablar, y Natasha continúa, tímidamente. – Bueno, nunca me pareció justo que Dante tuviera menos tareas que yo. Yo tengo que llenar el lavavajillas, y me encargo de más ropa.

Martín hace un gesto de desaprobación. Rocío se da cuenta que está disgustado por la actitud de Natasha, de modo que interviene y trata de llevar la conversación a la sensación de injusticia que embarga a su hija. – Natasha, tu hermano no puede llenar el lavavajillas. No le alcanza la altura para enjuagar los platos. Y, de todos modos, cuando tú tenías su edad, sólo tenías que retirar la vajilla de la mesa.

Inesperadamente, Dante tercia: – Está bien. Puedo ayudar a poner los tenedores y esas cosas en el lavavajillas. Para eso sí soy bastante alto.

– ¡Excelente, Dante! – responde Rocío, encantada de que el niño ha aceptado la idea de trabajar en equipo como familia. – Supongo que *todos* deberíamos ayudarnos cuando podamos. Y si yo no cumplo, tienen que decirme que ya estoy rezongando ¿sí?

– Oigan, ¿alguien va a ayudarme a mí? – pregunta Martín.

– Yo secaré las ollas – ríe Rocío. – Pero tal vez pueda hacer algo más. ¿Qué tal si te pregunto cómo estuvo tu día?

– No estaría mal – asiente Martín.

Habiendo llegado a un acuerdo, Rocío llena un gráfico Diséñelo Usted Mismo *(para tomar uno en blanco, ver la sección Gráficos Separables [No. 1] al final del libro)*. En la columna de la izquierda, en espacio aparte, lista los nombres de cada miembro de la familia, y luego escribe las tareas que realizará cada uno. Para ayudar a Natasha y Dante a recordar cuándo les toca poner la mesa o retirar la vajilla, Rocío agrega pequeños casilleros para anotar las marcas bajo los días de la semana, indicando así en qué momento es necesario que se realice cada una de las tareas.

★ Los Hechos ★

Esa noche, después de la cena, las tareas se desarrollan en un clima de agradable cooperación. Rocío sugiere poner música mientras cada uno hace su parte, y Natasha tararea mientras trabaja. Dante, ansioso por mostrarse "mayorcito", pone los cubiertos en el lavavajillas. Durante los días siguientes, la familia trabaja junta en armonía. El viernes, Rocío y Martín llegan a casa más cansados que de costumbre. Martín se deja caer en una silla, y Rocío, obligada a preparar la cena sola, comienza a protestar.

– Mamá – susurra Natasha – estás rezongándole a papá.

Rocío suspira. Sí, está rezongando. Pero quisiera que su esposo se diera cuenta de lo cansada que está. Luego recuerda su propio compromiso. – ¿Cómo estuvo tu día?

– Fue de pesadilla – responde Martín. – El teléfono no paraba de sonar... el peor día en meses.

– Lo siento – dice Rocío, suavemente. – El mío también fue muy difícil.

Martín, agradecido, sigue a Rocío a la cocina. – Lo siento. ¿En qué puedo ayudar?

– ¿Podrías cortar las habas? – pide ella.

Han salvado la noche. Llega el fin de semana, y los niños se las componen con la ropa de manera sorprendentemente rápida y eficaz. El domingo por la noche, se dirigen a Renzo's.

Luego del éxito logrado en la primera semana, Rocío confecciona un nuevo gráfico y extiende el plan una semana más. De tanto en tanto, algún miembro de la familia recae en los viejos hábitos, pero basta un leve empujoncito (metafórico, claro) para que la tarea se haga, especialmente, según nota Rocío, cuando la persona encargada recibe una pequeña ayuda o apoyo moral. Cuando se da una situación de este tipo, Rocío dice algo como esto: Vaya, seguramente es más fácil hacerlo cuando alguien ofrece darte una mano. El domingo vuelven a comer *spumoni*.

Pasado un mes, Rocío ve que la cena en Renzo's se ha convertido en un ritual familiar, y que las peleas y las dilaciones han dado paso a la cooperación como norma. Pero algunos de los antiguos hábitos comienzan a colarse nuevamente. Dante y Natasha posponen sus tareas, Martín se deja caer en la silla, y Rocío comienza a rezongar. Una noche, se deshace en llanto. Entonces ¡bendito sea su corazón! es Dante quien interviene, anunciando, a la hora de la cena: – ¡Necesitamos un gráfico nuevo!

★ Las Recompensas Invisibles ★

Además de aprender el significado del espíritu de cooperación, Natasha y Dante han recibido algunas lecciones importantes. El hecho de que Rocío y Martín hayan querido incluirse en el plan subrayó que las tareas del hogar son asunto de familia. Y la disposición de Rocío para admitir que su propia conducta necesitaba mejorar, les mostró que el desafío de mejorar los comportamientos es válido para toda la vida, y que no hay que avergonzarse de ello.

Finalmente, el compartir las tareas es uno de los momentos en que la familia siente que es un equipo. La problemática de la autoridad se diluye en tanto la importancia de lo que cada miembro hace corre pareja con lo que hacen los demás.

Y queda algo por decir: mientras se mantuvo el plan, y durante bastante tiempo después, Rocío se sintió encantada de no tener que rezongar.

★ También Funciona Para... ★

Un gráfico que comprende a todos los miembros de la familia (o sólo a dos niños) constituye un recordatorio constante de que todos están en el mismo barco. Ayuda a llevar cuenta de los momentos en que cada uno debe cumplir con sus responsabilidades. Este tipo de gráfico funciona bien para actividades tales como

- llevar cuenta de las pertenencias de cada uno
- pasear el perro
- limpiar las deposiciones del gato, y
- devolver libros a la biblioteca.

RECORDANDO GUARDAR LOS JUGUETES

Graciela (5 años) nunca fue muy buena para recoger sus juguetes después de haber jugado con ellos en la sala. Elena no le daba demasiada importancia al hecho, y sólo de vez en cuando le recordaba que debía guardarlos. Pero cuando Dorotea, la madre de Elena, se mudó con ellos por un tiempo, a Elena comenzó a preocuparle que su madre tropezara con un juguete y cayera al piso. Dorotea se estaba recuperando de una enfermedad grave, y sus piernas no le respondían bien, lo cual era motivo de preocupación para su hija. Desde que llegara su abuela, Graciela recoge sus juguetes cuando Elena se lo pide, pero no suele recordarlo por sí misma.

Ahora Elena siente la tensión que implica tener que cuidar a su madre, cuya salud está debilitada, y admite que se ha vuelto mucho más brusca con Graciela cuando toca el tema de los juguetes tirados por el piso. En dos ocasiones, después de haber sido reprendida por su mamá, Graciela rompió en llanto. Le gusta estar con su abuela, y también ayudarla, puesto que tiene un alma bondadosa, pero le resulta difícil adoptar el hábito de recoger los juguetes. Elena reconoce que no es sencillo para una niña de esta edad; nota asimismo que, en ocasiones, Graciela se siente perturbada al ver que su abuela, quien hasta el año pasado era una persona vigorosa, ahora da una imagen de lentitud y desgaste.

★ Primero, Hable Acerca De Ello ★

Una mañana temprano, cuando la sala ya ha sido ordenada, Elena se sienta con Graciela y le pregunta cómo le resulta que la abuela viva con ellos por un tiempo. La niña se entristece.

– Bien – responde – y mal. Le dice a Elena que ama a su abuela, pero que cuando la ve caminar con inseguridad, se asusta. Elena le asegura que Dorotea irá mejorando en cuanto la mediquen con las dosis adecuadas, y también le dice que sabe lo difícil que es para Graciela. Luego incursiona en la necesidad de mantener la sala ordenada: – Cariño, lamento ponerme molesta contigo cuando no guardas tus juguetes. Lo que ocurre es que no quiero que la abuela tropiece y se caiga.

Graciela asiente. Es una niña sensible y comprensiva.

★ El Plan De Recompensas ★

Luego Elena le dice que ha ideado un plan divertido para recordarle que recoja sus juguetes. Le muestra el gráfico de La Casita de Muñecas (ver la sección Gráficos Separables [No. 7]) y le dice que puede ganar un sticker para pegar sobre él siempre que recuerde guardar cuando ha ter-

minado de jugar. Elena le ha comprado una variedad de stickers de comidas, artículos para el hogar y juguetes, y algunos de flores y pájaros para el exterior. A modo de broma, Elena le dice que ésa es su casa, y que ahí puede poner las cosas donde quiera. Inclusive, puede dejar los juguetes en el piso si lo desea (Hay una muestra de este gráfico con los stickers pegados en la pág.104 de la Parte III).

★ Los Hechos ★

Elena pega el gráfico sobre una de las paredes de la sala. Graciela está encantada, y enseguida saca sus muñecas, juega un rato con ellas, luego las guarda y pide su primer sticker. Su mamá le felicita y le permite elegir uno. La niña opta por el gatito, y Elena la ayuda a pegarlo.

Durante toda la mañana, Graciela saca juguetes, los usa un ratito, y los devuelve a su lugar. Consciente de que este rapto de entusiasmo no va a durar mucho, Elena continúa felicitándola y ofreciéndole stickers. Esa mañana, la niña obtiene cinco. Pasada la primera semana, el gráfico está superpoblado (Elena ha tenido que comprar un par más de cajas de stickers), y Graciela se mantiene constante. Pero la niña va perdiendo interés en el gráfico y, alguna que otra vez, olvida recoger sus juguetes. Elena se lo recuerda con suavidad; entonces, Graciela, avergonzada, los guarda. Elena no desea que se sienta tan culpable, por lo que trata de infundirle confianza, diciéndole que sabe que se está esforzando mucho. Pero también se percata de que necesita un nuevo plan para que Graciela se concentre en la necesidad de guardar.

Dorotea no ha dejado de notar lo bien que se porta su nieta, y le divierte su interés por el gráfico de La Casita de Muñecas. Recuerda que la vieja casa de muñecas de Elena está empacada en el altillo de su casa. Entonces llama aparte a su hija y le propone regalársela a Graciela. Pensándolo rápidamente, Elena concluye que esta sería una gran recompensa, y novedosa, además. – ¿Qué tal si hacemos que Graciela se gane el mobiliario de la casa? – sugiere.

Elena y Dorotea le dicen a Graciela que cada día que recuerde guardar sus juguetes, ganará un mueble. Desenvuelven la casa de muñecas y la colocan en la sala, sobre una mesa – un recordatorio bien visible. Graciela está encantada con su nueva adquisición y pasa el primer día caminando alrededor de ella y repitiendo "¡Recuerda recoger los juguetes!"

El clímax llega una semana después, cuando Dorotea ha mejorado lo suficiente para sentarse en el piso al lado de Graciela, mirar dentro de la casa, y conversar con la niña acerca de la decoración. Elena sonríe. La sala no sólo está más ordenada y ha dejado de ser un lugar peligroso para su madre, sino que las tres se han involucrado en el Plan de Recompensas, dándole a Graciela una nueva oportunidad de apreciar el espíritu alegre de su abuela.

APRENDIENDO A ACEPTAR RESPONSABILIDADES

Pablo tiene 9 años y, hasta el momento, sólo se le ha encargado poner los periódicos en bolsas de papel una vez por semana, para que sean reciclados. Edgar, su padre, piensa que debería hacer una contribución mayor a las tareas del hogar, pero no es un camino fácil. Pablo es hijo único, y Edgar se da cuenta de que ha sido demasiado blando en lo que atañe a pedirle colaboración. Comienza a preocuparle que su hijo no desarrolle el sentido de la responsabilidad o, si lo hace, que no lo ponga en práctica dentro de la familia. El y su esposa Camila han hablado con Pablo acerca de realizar otras tareas, sugiriéndole que riegue las plantas de interior o que ponga la vajilla sucia en el lavavajillas después de la cena.

Pero Pablo se resiste – y tiene un buen argumento. La hermana de Edgar, que vive cerca, es muy indulgente con su propia hija, también de 9 años, y Pablo sabe con certeza que su prima no hace absolutamente nada en la casa. – Si Victoria no hace nada ¿por qué yo sí? – insiste el niño una y otra vez. Edgar no tiene la respuesta pronta. No puede poner en palabras lo que piensa. "Porque necesitas desarrollar tu sentido de la responsabilidad" le suena muy poco convincente. Y trillado. Se pregunta si merece la pena comenzar un conflicto.

Sin embargo, un día en el que Pablo le ha echado una mirada iracunda cuando Edgar le pidió que llevara los contenedores para reciclado a la acera, toma la decisión.

★ Primero, Hable Acerca De Ello ★

Edgar y Camila se sientan con Pablo y encaran una conversación acerca de las tareas del hogar. Mejor dicho, se trata de un debate. Pablo los desafía al instante. – Victoria no hace nada. Ustedes quieren que yo haga cosas para probar no sé qué. Sólo quieren hacerme trabajar porque creen que así voy a andar derecho.

A Edgar esta resistencia acalorada en contra de asumir alguna responsabilidad lo deja atónito. Pero también se culpa a sí mismo por no haberle asignado tareas cuando era menor.

Pablo no está totalmente errado respecto de la motivación que impulsa a su padre. Pero sólo tiene 9 años, y le falta capacidad de comprensión para ver las consecuencias a largo plazo de ser un "consentido". En lugar de enzarzarse en una discusión, Edgar responde con calma: – ¿Es por eso que crees que queremos que te hagas cargo de algunas tareas?

Pablo lo mira, algo sorprendido, y luego dice: – Sí. Seguramente leyeron en algún libro que los niños deben tener obligaciones.

– Sí, es verdad, pero también tenemos nuestras propias ideas... y son éstas – declara Camila con firmeza. – Estoy convencida de que muchas de las cosas que uno hace cuando es chico le ayudan a hacer otras, más importantes, cuando es grande. Recuerdo que el año pasado tu maestra de tercero quería darte más tarea escolar para que te acostumbraras a hacerla. Lo que pretendía era facilitarte las cosas para cuando pasaras a cuarto y tuvieras que hacer más.

– Eso es otra cosa – murmura Pablo entre dientes.

Edgar continúa con la conversación. – Tampoco te hemos dado experiencia en el manejo del dinero. Te compramos lo que necesitas, pero nunca te dimos una asignación para que te pusieras práctico en llevar cuenta de lo que haces con tu propio dinero.

Pablo comienza a prestar atención. – ¿Puedo tener una asignación?

Edgar puede ver el entusiasmo reflejado en el rostro de su hijo. Apuesta a que el niño piensa: "¿Cómo es que empezamos hablando de tareas domésticas y vinimos a parar al dinero?"

– Sí. Es razonable que recibas una asignación si comienzas a ocuparte de algunas tareas. Te la ofrezco porque vas a asumir responsabilidades, lo cual significa que eres lo bastante mayorcito para manejar tu propio presupuesto también.

★ El Plan De Recompensas ★

Edgar ha captado el interés de su hijo y avanza en la negociación. – He pensado que, aparte de ocuparte de los periódicos, podrías comenzar a poner la mesa para la cena y luego retirar la vajilla sucia.

Edgar aclara que si Pablo realiza estas tareas cinco veces por semana, obtendrá una asignación semanal de $3. Pondrán marcas en el calendario de la cocina cuando las tareas estén cumplidas. Para interesarlo aún más, Edgar le sugiere suscribir un contrato. Comenta: – Así será cuando crezcas y tengas un empleo. Firmarás un contrato donde estará escrito cuál es tu trabajo y cuánto cobrarás por él.

Edgar toma una hoja de papel rayado, escribe el convenio, lo firma, y se lo alcanza a Pablo para que él también lo haga.

El niño se muestra dubitativo. – ¿Qué significa esto de llevar los periódicos a la esquina? Siempre tengo que salir corriendo para no llegar tarde a la escuela.

– Bueno, pienso que tienes inteligencia suficiente para planificar tu tiempo con más cuidado – responde Edgar, ofreciéndole un cumplido en lugar de reprenderlo por su mala administración del tiempo. – Pero te felicito por leer la letra pequeña.

– ¿Y eso qué quiere decir? – inquiere Pablo.

– Que nunca debes firmar un contrato sin leer cada palabra. Si no lo haces, podrías estar accediendo a algo que no es justo ni correcto. ¡Nunca te pasarán por encima!

Pablo firma rápidamente. Es evidente que se siente orgulloso de su habilidad para los contratos. Su padre guarda la hoja con sus papeles comerciales.

★ Los Hechos ★

Pablo necesita de algún recordatorio ocasional para poner la mesa, y cumple sus tareas con mayor lentitud de lo que su padre desearía. Pero mantiene su parte del trato, y no vacila en pedir su asignación cuando la semana llega a su fin.

Edgar se siente orgulloso de haber encontrado el modo de ayudar a su hijo a construir su sentido de responsabilidad, juntamente con el concepto de la administración del dinero.

Es una satisfacción saber que uno está preparando a un hijo para enfrentarse a la vida.

CAPÍTULO 10

"¡SI CASI NO TENGO!

REDUCIENDO LA ANGUSTIA DE LA TAREA ESCOLAR

En algún lugar del mundo, existen niños que encaran sus tareas escolares de manera independiente, eficiente, eficaz, y entusiasta. Sin embargo, si usted está leyendo este capítulo, no es probable que sea el padre afortunado de uno de estos seres que gozan de motivación propia. Muy a menudo escucho a padres que me cuentan que pasan las tardes recordando a sus hijos que deben hacer su tarea, cuando no reprendiéndolos, rezongando, amenazando, sobornando y, a veces, prácticamente haciéndola ellos en lugar del niño.

Esta rutina vespertina puede convertirse en un ritual trágico, y llegar hasta el extremo de arruinar gran parte del tiempo precioso que la familia comparte. Afortunadamente, son muchas las cosas que usted puede hacer para terminar con la pesadilla de la tarea escolar. Pero antes tiene que estudiar las circunstancias fríamente, con calma. Mucho de lo que usted haga depende de cómo y por qué su hijo tiene problemas con la tarea.

Algunos niños la dilatan: pasan horas haciendo su tarea, entre interrupciones para ensartar cuentas, soñar despiertos, y probarse un par de jeans nuevos. Otros posponen sin límite el momento de comenzar. "Hay que sacar el perro". "En cuanto termine este dibujo". "¡Tengo hambre!"

También hay niños que se apresuran con la tarea – o, mejor dicho, saltan sobre ella – como si fueran aplanadoras corriendo una carrera contra el tiempo. Arrasan con ella, casi sin mirar lo que hacen. La ven como un enorme terreno baldío esparcido de números y palabras. Es cierto, han hecho la página de matemáticas, pero está llena de errores debidos a la falta de atención. Si se les señala esto, la respuesta no se hace esperar: ¡La maestra dice que nos podemos equivocar!

Y no olvidemos aquellos niños que se sienten algo inseguros, que creen no poder hacer la tarea sin su ayuda, y que utilizan las mismas técnicas que los anteriores en el instante en el que usted se aparta de su lado. En verdad, pueden llegar a necesitar ayuda en ocasiones especiales pero, sin usted, no pueden pensar (o así lo creen).

Finalmente, nos enfrentamos al problema de los cuadernos de tareas perdidos o no encontrados, cuadernos donde han anotado la tarea que no llega a casa, y tareas terminadas que no regresan a la escuela. Para algunos niños, la mitad de la batalla consiste en aprender a organizarse.

Entonces, ¿qué hacer, además de discutir, amenazar, quedarse junto a ellos hasta ver que logran algún grado de cumplimiento, o quitarles todos sus privilegios?.

En primer lugar, asegúrese de que su hijo no tenga problemas de aprendizaje no detectados por la escuela. Muchos niños que sufren de discapacidades de este tipo prefieren mostrarse perezosos, desafiantes, o desorganizados antes que admitir que no *pueden* hacer su tarea. No quieren que otros crean lo que ellos piensan íntimamente: que sus problemas derivan de su estupidez.

A muchos padres les preocupa que la promesa de recompensar a sus hijos por su desempeño escolar les quite el incentivo de descubrir un genuino interés en las asignaturas. El Plan de Recompensas puede no despertar objeciones en padres que tratan de inculcar hábitos como el cepillado de los dientes o el buen trato a los hermanos y otros niños, pero cuando se trata del aprendizaje, temen contribuir a devaluar la educación. Bien, aquí hay algo que deben saber: se ha demostrado, a través de investigaciones sobre el tema, que cuando las recompensas se planifican adecuadamente, impulsan a los niños hacia niveles más altos de conocimiento. Dichas investigaciones prueban que si usted recompensa la elevada calidad del trabajo, los niños mejoran la calidad de su producción. Y esto prepara el escenario para la continuidad del éxito académico.

¿Cómo se logra que las recompensas por hacer las tareas escolares incidan sobre la motivación interior? Primero, mediante los Planes de Recompensas, es posible alentar a los niños para que trabajen sobre sus habilidades básicas, las que proveerán los cimientos necesarios para los aprendizajes posteriores. Al experimentar tempranamente el éxito, los niños se sentirán más deseosos y dispuestos a la hora de encarar los desafíos académicos que vendrán en años posteriores. Segundo, habiendo experimentado la amplia gama de recompensas invisibles que acompañan al trabajo bien hecho, los niños suelen comprender lo que un pequeño esfuerzo puede reportarles como personas. La clara aprobación de la maestra cuando les devuelve la tarea frente a los demás con la frase "¡Muy buen trabajo!" les hace sentir que han ganado un Oscar. Un 10 en rojo brillante produce una sensación realmente placentera. La admiración de sus pares es un premio adicional. Y quizá lo más importante llega cuando su hijo se percata de que realmente sabe... y que eso que sabe puede aplicarlo a lo que aprenda después y que, de pronto, todo se torna más fácil. Su hijo no puede prever estas recompensas si se ocupa de cepillar al gato mientras usted sacude la página de geografía frente a sus ojos.

Una vez que su hijo haya pasado por estas experiencias, comenzará a valorar el aprendizaje. Por supuesto, esto no significa que usted se vaya a desentender del asunto. Pero no cabe duda de que las cosas mejorarán si usted se concentra en el problema y desarrolla un Plan de Recompensas acorde con las características del niño.

Si el problema consiste en que no termina su tarea, la recompensa tendrá que estar ligada a que su hijo reconozca sus responsabilidades y haga lo que debe. Si se trata de la calidad, tendrá que darle una explicación detallada de lo que significa un nivel aceptable, y recompensar las mejoras en este campo. Si el cuco en el armario se relaciona con posponer la tarea, su hijo y usted tendrán que ponerse de acuerdo acerca de lo que significa hacer la tarea en tiempo y buscar el modo en que su hijo evite distraerse. Luego puede darle su recompensa una vez que el niño realice un esfuerzo genuino para sentarse y ponerse a trabajar. Y, ni qué decirlo, si su hijo teme no poder componérselas solo, usted tendrá que averiguar si en verdad tiene problemas en la escuela y necesita que se le practique un test, o si usted simplemente tiene que "destetarlo" de su presencia.

Los padres suelen preguntarme sobre la conveniencia de ofrecer una recompensa o dinero por cada 10 que haya obtenido al final de un período de evaluaciones. Yo no soy partidaria de esa idea. Creo que es mucho más importante que usted se ocupe del proceso implicado en lograr buenas notas que de las notas en sí mismas. Cuando las tareas escolares se hacen responsablemente, las buenas notas vienen solas. Además, ¿qué sucede si su hijo, por más que ponga buena voluntad, no alcanza las notas más altas? Privarlo de una recompensa que se encuentra fuera de sus posibilidades equivale a un castigo. Los estudiantes sólidos que obtienen notas más bajas con buenos hábitos de trabajo (y también con puntos fuertes en actividades extracurriculares) poseen el potencial para lograr éxitos en la vida y bajo ningún concepto se debe hacer que se sientan disminuidos.

Finalmente, quisiera decir algunas palabras acerca de un problema que, tarde o temprano, preocupa a gran parte de los padres e hijos: los maestros que piden tareas escolares interminables o tediosas, una constante en el campo de la educación. En ocasiones, usted puede sugerir, con todo el tacto necesario, que esto se modifique. "– *Estee*, Sr. Alonso, todas las semanas usted pide que los niños elijan 10 palabras y las usen en oraciones. ¿Le molestaría que Eduardito las incluyera en una narración divertida? Creo que a él le gustaría." El Sr. Alonso puede asentir y acceder, o fruncir el ceño y seguir adelante con sus métodos soporíferos. Si se diera este último caso, usted tendrá que convertir el asunto en una lección de vida para su hijo. No niegue la realidad, pero tampoco critique al Sr. Alonso. Especialmente si su hijo es pequeño, va a repetir lo que usted diga en los lugares equivocados. Puede, sí, decirle a su hijo: – Entiendo que no te gusten esas tareas. Pero el Sr. Alonso cree que es una buena forma de enseñar, de modo que vamos a tener que aceptarla.

– Es *taan* aburrido – manifiesta una queja legítima que merece comprensión, pero no es excusa para no hacer la tarea.

Este capítulo contiene un modelo exhaustivo de un Plan de Recompensas para
- un niño de 10 años que, sistemáticamente, no hace su tarea escolar,

sumado a planes más breves para
- un niño de 7 años que hace la tarea, pero no alcanza la calidad requerida, y
- una niña de 8 años que siempre olvida sus libros y las hojas con sus tareas.

APUNTANDO A LA DILACIÓN

Gabriel (10 años) siempre ha sido un niño obstinado, pero posee una mente creativa y es fácil interesarlo en desafíos novedosos. Infortunadamente, su maestro de quinto grado maneja el programa de estudios con base en ejercicios repetitivos. Gran parte de la creatividad de Gabriel queda sofocada, y lo mismo ocurre con su deseo de cumplir.

Al comenzar el año, Gabriel pasaba una parte considerable de la tarde sentado a su escritorio (tal vez una hora seguida), pero no faltaban las incursiones en otras actividades. A veces se levantaba para ver qué estaba viendo su hermana menor en la televisión; otras, sentía una suerte de compulsión por ordenar sus estantes. Francisco, su padre, le llamaba la atención, y entonces, lápiz en mano, regresaba al escritorio. El único problema era que cada vez que Francisco se asomaba a la habitación de Gabriel, el niño estaba dándole vueltas al lápiz entre los dedos. – ¿Estás haciendo tu tarea? – preguntaba Francisco, haciendo un gran esfuerzo para no caer en un tono acusador.

– Sí – respondía Gabriel, sin poder ocultar que se sentía irritado.

Francisco entonces se encogía de hombros, esperando que fuera verdad.

Pero luego llega una primera comunicación de la escuela: dice que Gabriel no está haciendo su tarea. ¡En realidad, rara vez ha terminado lo que se le ha pedido! Francisco le pregunta que ocurre, y su hijo responde con toda precisión: – Es una estupidez.

Cuando Francisco insiste, le muestra su tarea, y su padre ve claramente que las de matemática, vocabulario y ortografía son mecánicas, hasta el punto de anestesiar los sentidos. Francisco comienza a comprender el problema de Gabriel, pero igualmente piensa que debe componérselas para hacer la tarea.

Durante las semanas siguientes, como Francisco nota que Gabriel continúa con sus técnicas dilatorias, comienza a alzarle la voz, lo amenaza con prohibirle el uso de la Internet "esa noche", e inclusive insinúa que lo va a retirar de su amado equipo de fútbol (algo que ambos saben que no hará jamás). Ha llegado el momento de terminar con las dilaciones.

★ Primero, Hable Acerca De Ello ★

Un domingo por la mañana, cuando la partida de fútbol de Gabriel se canceló por lluvia, Francisco se sienta con él para iniciar una conversación que, según espera, demuestre su actitud desprejuiciada.

– Mira, chico, esto de la tarea es un problema. No se te ve nada feliz este año.

Gabriel se encoge de hombros. – Lo voy a hacer, lo voy a hacer – dice entre dientes. Quiere que la conversación termine ya.

– Bueno, espero que sí – prosigue Francisco, alentándolo. – Pero creo que necesitas ayuda. Me doy cuenta de que muchas de tus tareas son una lata.

– ¿No me digas? – replica Gabriel irónicamente, casi con grosería, pero Francisco decide dejarlo pasar.

– El año pasado te gustaba mucho la escuela, y estabas orgulloso de tus buenas notas. Esto debe ser una desilusión mayúscula.

– Es que no soporto al Sr. Friedman – Adam sacude la cabeza. – Haz esto, haz lo otro. Es siempre lo mismo. De todos modos, las notas no importan.

– Veo que las notas no te importan tanto ahora. Y también cuánto te disgusta el trabajo de este año. Pero recuerdo lo excitado que estabas el año pasado cuando traías 10 en los exámenes y en la tarea.

Gabriel permanece silencioso. Francisco espera que se esté reconectando con viejos recuerdos del tiempo en que disfrutaba de la escuela y se enorgullecía de hacer bien su trabajo.

– A mí tampoco me gusta tener que hacer trabajos aburridos... – Francisco hace una pausa. – Cuando me pasa eso, trato de sacármelos de encima para seguir con algo que me gusta.

Gabriel sigue sin abrir la boca. No parece convencido.

Francisco continúa. – Mira, creo que podemos encontrar la manera para que no te sientas tan desdichado con esas tareas que odias. Tengo un plan que te va ayudar a hacer las cosas más rápido, y te va a dejar tiempo para jugar con tus videojuegos y para ver televisión. Y lo mejor es que ya no voy a estar gritándote todas las noches. Así los dos estaremos más felices.

Gabriel mira a su padre dubitativamente. – ¿Qué clase de plan? – pregunta finalmente.

★ El Plan De Recompensas ★

Francisco ha reflexionado cuidadosamente respecto del tipo de incentivos y castigos que va a implementar. Le preocupa que Gabriel esté enterrándose en un pozo del cual le puede resultar difícil salir. Si no consigue aprender ahora lo que la escuela le ofrece, le costará cada vez más a medida que pase el tiempo. Francisco decide que debe proponerle una recompensa atractiva y algunos castigos en caso de que no cumpla con su tarea.

Sabe que Gabriel se distrae con facilidad cuando tiene videojuegos o programas de televisión a su alcance, y que éstos tienen que desaparecer de la vista en los momentos que hay que dedicar a la tarea. Pero sí se le pueden permitir una vez cumplidas sus responsabilidades. Le resulta claro que, si Gabriel entrega su tarea en un día determinado, es justo que pueda disfrutar con sus actividades preferidas en la noche. Sin embargo, si no entrega sus tareas, su padre cree que debe prescindir de dichas actividades.

Además, a fin de mantener el tono positivo del programa, decide ofrecerle a Gabriel un incentivo de mayor envergadura si logra cumplir con su tarea a través del tiempo. Gabriel ha estado pidiendo asistir a un curso de computación para niños que se dicta en la universidad local. Francisco piensa que ésta sería una extraordinaria

recompensa, porque significaría tomar en cuenta el interés de Gabriel en aprender cuando le interesa el tema.

Dándose cuenta de que Gabriel se molestará cuando se entere de que el no cumplimiento de sus obligaciones escolares ha de traducirse en la pérdida de sus momentos de esparcimiento, Francisco decide ofrecerle primero la recompensa; es decir, el curso de computación. Le dice a su hijo que tiene la oportunidad de hacerse acreedor al curso por el que ha estado rogando si, durante el mes próximo, hace su tarea con regularidad. Pero también le comunica que, además de la posibilidad de obtener esta recompensa, el plan que ha ideado tiene una segunda parte. Según el niño haya cumplido satisfactoriamente con la tarea del día anterior, ganará o perderá el privilegio de mirar televisión o jugar con sus videojuegos por la noche.

Francisco le muestra a Gabriel el gráfico de Privilegios (*para tomar uno en blanco, ver la sección Gráficos Separables [No. 12] al final del libro*), y luego detalla los pasos del Plan de Recompensas. Le explica a Gabriel que su "nivel de privilegio" para ese día dependerá de cómo se haya desempeñado con su tarea la tarde anterior y que el Sr. Friedman controla la tarea puntualmente y que es justo en la evaluación, y no se negará a darle un informe diario. Él, como padre, preferiría no ser "el policía de la tarea".

El gráfico de Privilegios da lugar a tres niveles de logros y a tres tipos diferentes de recompensas. Es muy sencillo, y el juez será el maestro. Consecuente con su estilo metódico, el Sr. Friedman siempre encomienda cuatro tareas. Francisco le pedirá que le informe cuántas completó Gabriel. Luego Francisco detalla los tipos de recompensa y los privilegios que cada una de ellas implica:

- **Estrella de Oro:** Gabriel ha hecho la totalidad de las tareas. Obtiene el privilegio de ver una hora de televisión más media hora de videojuegos o juegos de computadora.
- **Estrella de Plata:** Gabriel ha completado tres de las tareas. Obtiene el privilegio de ver media hora de televisión más media hora de videojuegos o juegos de computadora.
- **Estrella de Bronce:** Gabriel ha completado dos de sus tareas. Obtiene el privilegio de ver media hora de televisión o media hora de videojuegos o juegos de computadora.

Para acceder al curso de computación, Gabriel debe ganar por lo menos 10 Estrellas de Oro el mes entrante, y no puede obtener más de 5 Estrellas de Bronce (o estar por debajo del nivel de éstas) durante las próximas 4 semanas. Al principio, Francisco duda en otorgar el reconocimiento de la Estrella de Bronce por haber completado sólo la mitad de las tareas, pero como es frecuente que Gabriel no termine ninguna de sus tareas, decide que es necesario ofrecerle algún aliciente por una pequeña mejora. Francisco sabe también que,

PRIVILEGIOS

PARA GANAR UNA ESTRELLA DE ORO:	PRIVILEGIOS DE LA ESTRELLA DE ORO	¡LO LOGRÉ! (marcas positivas)
Completar las 4 tareas	1 hora de televisión + 1 hora de juegos de video o de computadora	✓ ✓ ✓ ✓ ✓ ✓ ✓
PARA GANAR UNA ESTRELLA DE PLATA:	PRIVILEGIOS DE LA ESTRELLA DE PLATA	
Completar 3 tareas	½ hora de televisión + ½ hora de juegos de video o de computadora	✓ ✓ ✓ ✓ ✓ ✓
PARA GANAR UNA ESTRELLA DE BRONCE:	PRIVILEGIOS DE LA ESTRELLA DE BRONCE	
Completar 2 tareas	½ hora de televisión o ½ hora de juegos de video o de computadora	✓ ✓
	NO HAY PRIVILEGIOS	(¡EPA!) ✓

Gráfico de Privilegios

obstinado como es, no es probable que Gabriel haga un cambio radical e inmediato. De todos modos, la Estrella de Bronce limita sus privilegios, sumado a que Francisco no va a permitir más de 5 de estas estrellas en el mes.

El padre nota que Gabriel ha comenzado a considerar sus posibilidades. – ¿Estás diciendo que sí puedo tomar el curso? – pregunta, con interés no desprovisto de cautela. Pero luego se muestra preocupado. – ¡No sé si puedo hacer lo que me pides! – se queja.

Francisco simpatiza con él, pero está convencido de haber tomado el camino correcto. Sólo tiene que ayudarlo a idear estrategias para abordar lo más difícil. – Creo que puedo encontrar el modo de que te sea más fácil hacer tu tarea. ¿Se te ocurre algo a ti?

Gabriel, pensativo, responde: – Me aburro mucho en mi habitación.

– ¿Crees que podrías sentirte mejor en otra parte? – inquiere Francisco.

Gabriel frunce el ceño y piensa. – ¿Y si trabajo en la mesa de la cocina? A lo mejor podemos hablar un poquito mientras hago la tarea. Si no, me voy a quedar dormido de puro aburrimiento.

Luego de una corta pausa, agrega: – Y a lo mejor puedo hacer una parte antes de la cena, y luego, cuando tú llegues, la otra parte después de comer.

– Dos grandes ideas – responde Francisco.

Pero Gabriel, quien a esta altura quiere reafirmar que, hasta cierto punto, no ha perdido totalmente el control de la situación, dice: – ¿Los fines de semana no cuentan, eh? Si no cumplo con la tarea del viernes, no pierdo nada hasta el lunes por la tarde.
Francisco asiente. – ¡Es que no lo voy a saber hasta el lunes! – ríe.

★ Los Hechos ★
Al día siguiente, Gabriel saca su tarea después de la cena. – Guardé la parte más aburrida para hacerla contigo cerca – anuncia. – Se me ocurrió que podíamos hablar mientras escribo mil veces estas estupideces.

Francisco no puede creer que Gabriel esté utilizando el pensamiento estratégico. Pasados 40 minutos, se sorprende mucho más cuando su hijo le informa que ha concluido la tarea, y eso que se ha tomado un breve recreo para jugar con el perro. Con cauto optimismo, Francisco espera que el Sr. Friedman, quien ha prometido apoyarlo en el plan, confirme el éxito.

Un día después, Francisco y Gabriel están encantados al comprobar que el niño ha ganado una Estrella de Oro. Lleno de orgullo, Gabriel hace una marca positiva en el gráfico, y luego mira la programación televisiva y elige dos programas. Mira uno de ellos antes de la cena y, apenas han terminado de comer, completa sus tareas para el día siguiente y vuelve a encender el televisor. El programa lo aburre, y decide pasar una hora jugando con la computadora.

Gabriel continúa trabajando el resto del mes. Sus tareas han mejorado muchísimo: la mayoría de las veces obtiene Estrellas de Oro o de Plata, si bien un par de días ameritan la Estrella de Bronce. Un día, Gabriel está de muy mal humor; tiene una "recaída", y prácticamente no hace nada de tarea. Sin embargo, como sólo ha recibido tres Estrellas de Bronce, todavía está en carrera para llegar a la meta: el curso de computación.

Hacia fin de mes, Francisco se percata de que el trabajo de Gabriel no ha merecido un número satisfactorio de Estrellas de Oro. Intuye que el fracaso de su hijo en concretar el tan ansiado objetivo (léase: el curso de computación) puede derivar en la pérdida de interés por continuar esforzándose. Entonces decide ayudarlo con un leve empujoncito: − Gabriel, sólo necesitas dos Estrellas de Oro más. Esa hoja de diccionario se ve incompleta. Creo que si le dedicas un poquito más de tiempo, lo conseguirás. El niño alza la vista hacia su padre, claramente complacido, porque siente que está de su lado. Al día siguiente, su tarea le proporciona una Estrella de Oro. (No tiene nada de malo alentar a su hijo y ofrecerle todo el apoyo que necesite para asegurar el éxito. Son muchos los modos en que estos planes resultan buenas oportunidades para el trabajo en equipo).

Cuando el mes está a punto de terminar, Gabriel está decidido a obtener su última Estrella de Oro. Y entonces sobreviene una crisis. El último día del mes, no puede completar dos de las tareas porque olvidó traer las hojas correspondientes a casa. Luego de buscarlas en vano en su mochila, se enfurece porque esto le costará el curso de computación. A los gritos, se despacha contra el Sr. Friedman, diciendo que odia al maestro y a sus estúpidas hojas de tareas. Mientras tanto, Francisco piensa rápidamente en una solución. Los hábitos escolares de su hijo han experimentado un cambio considerable, y Francisco quiere que tenga su recompensa final; entonces, se le ocurre una idea que compense el olvido de las hojas.

Tranquiliza a Gabriel, y le dice que tendrá otra oportunidad. Si logra completar estas dos hojas junto con las tareas que le asignen al día siguiente, podrá inscribirse en el curso de computación. ¡Y Gabriel lo logra!

A principios del mes, Gabriel, orgulloso alumno de computación, va por ahí proclamando: − ¡Tomo clases en la universidad! Francisco nota que ahora cumple con su tarea metódicamente y, aunque alguna vez algo queda sin hacer, Gabriel tolera el trabajo y busca maneras de atenuar el aburrimiento que le causan las tareas tediosas. No cabe duda de que Francisco ha ayudado a su hijo a reconectarse con esa parte de sí mismo que quiere ser un buen alumno.

★ Las Recompensas Invisibles ★

A pesar de que Gabriel declara que no le importan sus notas, cuando llega el próximo boletín lleno de notas muy altas, pide llevarlo para mostrárselo a su abuela aprovechando una visita de fin de semana.

Francisco está más que feliz de que se hayan terminado los conflictos de la hora de la tarea. Antes de implementar el Plan de Recompensas, había llegado a pensar que Gabriel tenía una adolescencia temprana y que le esperaban muchos años de lucha con un hijo en pleno crecimiento. Pero resultó que la lucha era sólo con la odiosa tarea. La relación entre Francisco y Gabriel vuelve a los niveles de comodidad que la caracterizaba antes de que el niño pasara a quinto grado. Francisco alienta la esperanza de vivir unos años más de calma e intimidad antes de que las turbulencias propias de la adolescencia provoquen nuevas tensiones entre ambos.

Una noche, Francisco despotrica acerca de cuánto odia ocuparse de las cuentas a pagar. Gabriel se acerca y le sugiere que piense en algo divertido para hacer cuando termine, para tener un atractivo esperándolo al otro extremo. Inclusive tiene una propuesta preparada: − ¡Podemos jugar a embocar al arco!

Gabriel ha aprendido una lección importante: es posible motivarse uno mismo para hacer cosas que le aburren si uno recuerda que después de terminarlas le aguarda una recompensa.

★ También Funciona Para... ★

Este tipo de Plan de Recompensas funciona bien si lo que usted desea es recompensar y reconocer el cumplimiento de las responsabilidades en distintos niveles de cantidad y/o calidad. Puede utilizarse para

- tareas hogareñas
- progreso semanal en metas de largo plazo
- clases de música que implican regularidad en la práctica para alcanzar un cierto nivel de habilidad de rendimiento, y
- cooperación para aceptar el uso de artefactos incómodos pero necesarios (por ejemplo, un entablillado en la mano, un parche en el ojo, o un aparato de ortodoncia).

MEJORANDO LA CALIDAD

David (7 años) acaba de comenzar el segundo grado y, por primera vez, tiene que hacer tareas escolares todos los días. Durante la reunión de padres previa a la iniciación de las clases, la maestra advirtió a los padres que la tarea diaria tomaría 20 minutos. Sin embargo, David la despacha en diez, y ése es exactamente el aspecto que tiene. Las palabras que escribe son apenas legibles, y en una hoja de matemáticas con 10 problemas, sistemáticamente comete por lo menos cuatro errores debidos al descuido en la última mitad. Alejandra, su mamá, lo insta a rehacerlo, pero él le responde, enojado: − La maestra dice que está bien así. Alejandra se comunica con la maestra y, tal cual lo imaginara, averigua que ya varias veces le ha llamado la atención a David acerca de la calidad de su trabajo, y que se encontraba a punto de enviarle una nota a Alejandra. Esta le pide que por favor lo haga y se la envíe a través de David. El niño la trae a casa, y él y su madre se sientan juntos a leerla.

David se siente muy ofendido. – Muy bien – dice, sumamente irritado. Muy a la defensiva.

Alejandra titubea. Su hijo es un niño vivaz, y ella sabe lo mucho que le cuesta quedarse quieto. No está segura de si su letra es mala porque no se esfuerza lo suficiente, o si no se esfuerza lo suficiente porque le resulta demasiado difícil. Es consciente de que muchos niños de su edad tienen problemas para manipular lápices y plumas. Alejandra sospecha que es bueno para la suma porque jamás se equivoca en los primeros cinco ejercicios, pero luego, cuando su paciencia se agota, aparecen los errores.

Cualquiera sea la causa, Alejandra está segura de que desea ayudarlo a fortalecer sus habilidades y a encontrar el modo de hacer bien la tarea.

★ Primero, Hable Acerca De Ello ★

En la tarde del lunes siguiente, mientras David toma la merienda, Alejandra comenta que, para él, tener tareas escolares es toda una novedad. Comprensivamente, agrega que su mamá sabe cuánto extraña el descansar por las tardes, sin tener obligaciones. David aparta la mirada y tratar de cambiar de tema. Supone que todos estos preliminares van a terminar en una crítica a su trabajo.

Alejandra insiste: – Tengo un plan que creo que te va a ayudar a que no te cueste tanto hacer la tarea *bien*. David está sentado mirando el piso. De pronto, Alejandra recuerda que, cuando el niño asistía al jardín de infantes, traía a casa sus dibujos, rebosante de orgullo. La ternura la embarga. Se da cuenta de que en este preciso instante su hijo debe estar sintiéndose muy desdichado, sin la posibilidad de imaginar cómo mejorar las cosas.

Alejandra le recuerda a David que ha estado pidiendo una asignación, y comenta que si juntos pueden encontrar la forma de que él dedique un poco más de tiempo a su tarea, podría ganarse $2 semanales.

– ¡Hago lo mejor que puedo! – gimotea David, con lágrimas en los ojos. Su mamá lo abraza y le asegura que ella sabe que es así. Pero también le dice que tiene algunas ideas para que él cambie su manera de hacer la tarea y le resulte más fácil.

★ El Plan De Recompensas ★

Alejandra le habla del plan. Le explica que sabe cuánto le gusta mirar televisión y jugar con los videojuegos, pero que la regla es no hacer nada de esto antes de terminar la tarea. Insinúa que tal vez lo difícil es hacerla toda junta, y que quizás ésa sea la razón de que no salga bien.

– A lo mejor, si haces una parte, interrumpes, juegas un poquito o miras televisión, y luego haces el resto, te va

a ser más fácil. Y cuando la hayas completado, puedes volver a los videos o a jugar; como quieras.

David empieza a creer que el plan es bueno; entonces, se concentra en el incentivo que su mamá le ha ofrecido.

– ¿Es cierto que voy a tener mi asignación? – pregunta con entusiasmo.

– Por supuesto – responde Alejandra. – Todo lo que tienes que hacer es mejorar la letra y poner cuidado en los ejercicios de matemáticas.

Llegado este punto, Alejandra le pide a David que le demuestre lo bien que es capaz de escribir. Le pone enfrente su tarea del día y dice: – Haz lo mejor que puedas. Y mira el reloj. El niño se afana sobre la hoja, que le lleva sus buenos 10 minutos.

– No quedó muy bien – se enfurruña David al terminar.

En verdad, no se ve bonita, pero es legible, y así se lo hace saber Alejandra. También le dice que ha visto cuánto esfuerzo le costó escribir con letra clara. – ¡Lo hiciste muy bien! – exclama. Luego le sugiere que escriba rápido, como si estuviera por empezar su programa favorito y él tuviera que terminar sí o sí. David comienza a escribir nuevamente, y Alejandra controla el reloj.

– Veo que ahorras mucho tiempo cuando escribes rápido – le dice al niño. – Estuve controlando la hora, y te llevó el doble de tiempo escribir con cuidado. ¡Pero quedó mucho mejor la primera vez!

David mira ambas hojas y asiente.

Entonces Alejandra se dispone a armar el Plan de Recompensas. Con un gráfico de Chequeo Diario (*para tomar una en blanco, ver la sección de Grafico Separables [No. 3]*), propone dos metas:

1. David comenzará a hacer su tarea a las 6.15 y se detendrá a las 6.25. Alejandra pondrá el reloj de la cocina para llevar cuenta del tiempo. David hará su mejor esfuerzo para escribir con letra clara.
2. Alejandra y David juegan juntos (o él mira televisión), y luego el niño completa su tarea (por lo general, ejercicios de matemáticas) con todo cuidado hasta terminar.

Si David hace su tarea de este modo, obtiene una marca positiva para ese día. Si en 5 días gana 4 marcas positivas, tendrá una asignación de $2 para la semana en curso. Cuando su tarea no esté bien hecha, podrá elegir entre volver a hacerla o renunciar a la marca positiva. Sin embargo (además de la primera marca positiva que pierda), por cada día que no obtenga una marca positiva, su asignación se reducirá en 50 centavos. Si David gana una marca positiva los 5 días, obtendrá un adicional de 50 centavos. Alejandra le dará su asignación los sábados por la mañana.

★ Los Hechos ★

Lleno de excitación, David abriga la esperanza de que el nuevo plan le facilitará la tarea. – ¿Podemos jugar a las cartas ahora? – pregunta – ¿y después hago la tarea que falta? Alejandra asiente, y David disfruta ganándole por paliza al Rummy Sueco*. Luego se sienta y resuelve metódicamente todos sus ejercicios de matemáticas.

Cuando le faltan sólo dos problemas, Alejandra ve que se retuerce en la silla; le sugiere que se levante y estire los músculos. Impulsivamente, le propone jugar a "Sigue al líder" durante unos minutos. El niño obedece con entusiasmo las órdenes de saltar, agitar las manos por encima de la cabeza, y hacer piruetas. Luego vuelve a sentarse y termina su tarea sin cometer un solo error. – ¡Perfecto! – exclama Alejandra.

La recompensa invisible opera otra vez. A David le encanta hacer bien su trabajo.

RECORDANDO LOS LIBROS

Diana (8 años) ama a sus amigas. Adora sus actividades postescolares. Se preocupa mucho por hacer bien su tarea. Pero tiene un gran problema: le interesan tantas cosas que, llegada la hora de salir de la escuela, hace exactamente eso. Sale. No puede detenerse un momento y pensar qué va a necesitar en casa para hacer la tarea. Lamentablemente, como es una niña responsable,

*Juego en el que gana el jugador que primero se deshace de todas sus cartas [N. de la T]

cuando llega a casa y se da cuenta de lo que ha hecho, suelta el llanto. La niña también es un tanto nerviosa, y los primeros episodios de este tipo la afectaron tanto que Vanessa, su madre, la consoló, la guió hasta el auto, y condujo hasta la escuela a toda velocidad para que Diana pudiera recuperar lo que había olvidado.

Ahora el episodio se ha convertido en hábito. Diana cruza el umbral y, pasados 5 minutos, Vanessa oye el grito: – ¡Mamá! ¡Perdóname! Olvidé mi libro de Historia. ¡Tenemos que volver a la escuela! Lo dice con tono agudo y, frenética, se planta en la puerta del escritorio de Vanessa. Sólo que Vanessa ya no tiene deseos de consolarla. Trabaja desde su hogar, y esto de tomarse parte de la tarde para buscar los libros de su hija se está tornando un impedimento mayúsculo, además de ser malo para Diana, quien ya tiene edad suficiente para recordar sus cosas. – Diana, esto tiene que terminar – dice Vanessa severamente mientras toma las llaves del auto. Mira a su hija, que está al borde de las lágrimas. Vanessa sabe que le importan sus notas, y le alegra que sea así. Pero ¿es demasiado pedir que haga lo necesario para poder completar su tarea?

No, claro que no, resuelve la madre. Se percata de que es lo menos que debe esperar de la niña. Lo evidente es que necesita ayuda.

★ Primero, Hable Acerca De Ello ★

Comienza una nueva semana, y el lunes por la tarde Diana se las compone para traer todo lo necesario. Vanessa la felicita y comenta cuánto más fácil es para ambas si no tienen que andar persiguiendo los textos escolares. Diana, abatida, asiente. Aunque Vanessa siente la tentación de decirle "¡Está claro que puedes hacerlo, así que por qué no lo haces siempre!", – se calla a tiempo. El lenguaje corporal de Vanessa expresa que se siente muy mal. Su mamá nota que su espalda se encorva; entonces, le habla de un plan para ayudarla a recordar lo que tiene que traer a casa.

★ El Plan De Recompensas ★

– Mira, cielo – comienza Vanessa, abrazándola. – Sé que a la hora de salida de la escuela tienes un montón de cosas en la cabeza. Pero tengo un plan para que te sea más fácil recordar que debes tomarte el tiempo necesario para organizarte.

La espalda de Diana va perdiendo rigidez; entonces, Vanessa continúa. – Sé que quieres que Celia y Belén se queden a dormir. Pero yo estuve muy ocupada, y supongo que más cansada de lo habitual con todos los problemas que hemos tenido porque te olvidas las cosas. Que dos amiguitas vengan a pasar la noche significa trabajo para mí: tengo que sacar el colchón inflable, reacomodar tu habitación, y ocuparme de que tu hermano no las moleste. Pero si tú trabajas duro para recordar qué libros y papeles necesitas en casa, me comprometo a invitar a tus amigas.

El rostro de Diana se ilumina con una gran sonrisa:
– ¿De verdad? ¿Cuándo?

Vanessa hace un pacto con la niña. Es bien sencillo. Le explica que si, durante una semana, recuerda traer sus cosas a casa, sus amiguitas pueden quedarse a dormir ese fin de semana. Y agrega: – Para entonces tendré energía ahorrada, porque no me habré pasado la semana llevándote y trayéndote de la escuela. Puedo usar esa energía para atender a tus invitadas.

– ¡Fantástico! – exclama Diana. – Y como hoy me acordé, quedan sólo 4 días para que se queden a dormir.

– Sí, Diana – replica su mamá, muy seria. – Pero recuerda esto. No es que hayas querido olvidarte las cosas a propósito. Sé que no es así, y creo que vamos a tener que pensar algunas estrategias para que recuerdes lo que tienes que traer.

Diana se apresura a explicar que lo que sucede es que cuando termina la última clase se pone a charlar con sus amigas, y pronto se encuentra siguiéndolas fuera de la escuela sin pensar en otra cosa. Vanessa asiente, comprensiva, y sugiere que, juntas, ideen algo para ayudarla a recordar. Si una idea no funciona, habrá otra. Deciden lo siguiente:

- Antes de partir hacia la escuela, Diana va a escribir *quedarse a dormir* en la palma de su mano. Sin duda, la verá varias veces durante el día.

- Diana va a atar una campanilla (parte de un viejo brazalete que ya no usa) a la espiral de su cuaderno de tareas. Eso la ayudará a anotar todo lo que tiene que hacer. También va a repicar cuando salga saltando de la escuela, recordándole que debe pensar.

- Diana le pedirá a una de sus amigas que sea su "asistente". La amiga tendrá que ocuparse de controlarla. Al acercarse a la puerta de la escuela, deberá susurrarle: "Diana, ¿tienes todo lo que necesitas?"

Diana y Vanessa acuerdan llevar cuenta de sus logros en el calendario de la cocina, marcando los días con tinta púrpura. Cada vez que llegue a casa con todo lo que necesita, Diana escribirá una R mayúscula (por "Recordar") sobre la fecha correspondiente.

– ¡Tal vez mañana debería usar una camisa púrpura para ayudarme a recordar! – dice Diana.

Vanessa está de acuerdo, y esa noche, mientras arropa a su hija, le dice: – De ahora en adelante, vamos a recitar un breve mantra antes de que te duermas. Una especie de cántico, sabes.

Vanessa sonríe. Luego cierra los ojos y repite: "Los libros a casa... los libros a casa".

Diana ríe, y lo dice una sola vez, con los ojos cerrados.

★ Los Hechos ★

Al día siguiente, Diana llega a casa con todo. – Mi amiga olvidó recordármelo, no pensé ni un segundo en la camisa púrpura – anuncia. – Escuché el timbre sonar unas cuantas veces, y anoté más cosas. ¿Pero sabes qué fue lo verdaderamente me ayudó? Al finalizar las clases, abrí la mano para tomar una menta que me ofrecía una amiga, y ahí estaba: *quedarse a dormir.* ¡Me di cuenta de que había olvidado mi cuaderno de geografía!

– Bueno – comenta Vanessa. – Esa es la ventaja de tener un plan B. Si algo no funciona bien, el segundo plan servirá.

Ahora es muy raro que Diana olvide lo que necesita. Se mantiene tranquila mientras hace su tarea, y resulta evidente que ser responsable por sí misma la hace feliz. Vanessa no pierde llamados importantes relacionados con su trabajo, y en este momento el único problema es que su hijo varón también quiere invitar amigos a dormir. Diana está de acuerdo en cederle fines de semana, aún cuando ya no se olvida las cosas. No se le ocurre que "merece" lo que se le antoje cada semana por el hecho de reunir sus cosas y traerlas a casa. Este es el signo más evidente de que el Plan de Recompensas ha sido un éxito total.

PARTE
III

Su Caja De Heramientas:

Gráficos De Recompensas Y Algo Más

Introducción

¡Ha llegado el momento de entrar en acción!

Es probable que, a esta altura, usted ya se haya formado una idea clara de cuáles son los problemas de conducta que desea encarar, y cuáles son los incentivos que mejor motivan a sus hijos. Todo lo que falta es elegir el gráfico apropiado, armarlo, e implementarlo.

La Parte III comprende una amplia variedad de gráficos para elegir. Cada uno de ellos está descripto en el Capítulo XI, y acompañado por una descripción de su uso. Luego, la sección de Separables que sigue a dicho capítulo incluye en los gráficos listos para usar, el ítem de recompensa que usted puede tomar cuando se sienta dispuesto a comenzar.

Un modo sencillo de iniciar el plan podría ser uno de los *Gráficos Básicos Para El Seguimiento de los Progresos*. Este grupo incluye, el gráfico Diséñelo Usted Mismo (indicado para niños de 3 a 8 años), y Gráficos de Seguimiento y de Chequeo Diario (indicados para niños de 6 a 10 años).

Si sus hijos tienen entre 3 y 6 años, otro buen lugar para comenzar sería uno de los gráficos *Mi Lamina Propia*. Aquí, la recompensa consiste en el gráfico mismo; todo lo que usted necesita poner de su parte es la provisión de stickers adecuada al contenido del gráfico. La mayoría de los niños pequeños se sentirán encantados con por lo menos uno de estos gráficos, que incluyen Bienvenido al Zoológico, La Tierra de los Dinosaurios, La Casa de Muñecas, y Alimentando al Gato.

Si su propósito consiste en llevar cuenta de los progresos realizados, y busca un gráfico un poco más imaginativo, aunque también más laborioso, dé una mirada a los gráficos de *Seguimiento con Imaginación*. Los gráficos La Caza del Tesoro y Bolsillos Para Puntos son los que mejor resultado dan entre los 4 y 7 años. El gráfico de La Laguna Azul funciona bien entre los 5 y 8 años, y el gráfico de Privilegios es el mejor para 7 a 10 años.

Finalmente, encontrará *Todos los Extras*, tales como recompensas novedosas, certificados y contratos. Los niños entre 3 y 6 años disfrutarán de los Bonos Felices, las Medallas de Oro, los Contratos Ilustrados, y los Certificados "¡Lo logré!" Entre los 4 y 7 años, utilice Cupones, Invitaciones a Actividades Placenteras, Tickets, y Talones ¡Me equivoqué!. Los contratos resultan útiles para niños con conocimientos de lectura, generalmente mayores de 6 años.

Los gráficos pueden recortarse del cuerpo del libro. Existe también la opción de fotocopiarlos. Recuerde que en algunos casos necesitará un nuevo gráfico cada semana si se ha embarcado en un plan de recompensas de larga duración. También es posible que seis meses más adelante desee utilizar el mismo gráfico para enfrentar un problema de conducta diferente.

Trate de involucrar a su hijo en la creación del gráfico siempre que ello sea posible. Si a su hija le gusta dibujar o colorear, ofrézcale la oportunidad de decorar gráficos o recompensas que se prestan a ello; por ejemplo, el gráfico Diséñelo Usted Mismo, Bonos Felices, o Cupones de Premio. Los niños que no sienten inclinación por lo artístico pueden aplicar stickers decorativos o sentirse felices de que usted pegue su fotografía sobre los gráficos o las recompensas. Si su hijo tiene predilección por las manualidades, tal vez usted esté dispuesto a usar pegamentos brillantes, cintas, y lentejuelas para realizar juntos una creación única.

No obstante, si usted es un padre ocupado, no debe sentirse presionado para emprender la creación de gráficos extra especiales. Los niños se sentirán felices con los gráficos y premios tal como están, o con alguna pequeña modificación. ¡No permita que su deseo de crear el gráfico perfecto retrase la implementación del Plan de Recompensas. ¡Es hora de moverse!

CAPÍTULO 11

GUÍA DE LOS GRÁFICOS Y ACTIVIDADES

En el presente capítulo me propongo explicar en mayor detalle cómo seleccionar y utilizar un gráfico que sea útil para su hijo. Se dividen en cuatro categorías: Gráficos Básicos para Seguimiento de los Progresos, Gráficos Diséñelo Usted Mismo, Gráficos Seguimiento con Imaginación, y Todos los Extras.

GRÁFICOS BÁSICOS PARA EL SEGUIMIENTO DE LOS PROGRESOS

Los tres tipos diferentes de Gráficos Básicos son fáciles de usar, sencillos de preparar, y proporcionan un modo directo de llevar cuenta de los logros de su hijo. Los Gráficos de Seguimiento y de Chequeo Diario dan mejor resultado con los niños mayorcitos que sólo necesitan de un lugar donde anotar sus progresos. La flexibilidad inherente a estos gráficos permite que puedan ser usados de diversas maneras; la única limitación depende de su propia creatividad. Encontrará los Gráficos Básicos en la sección de Gráficos Separables a continuación de este capítulo.

GRÁFICO DISÉÑELO
USTED MISMO

Los espacios en blanco que presenta este gráfico pueden utilizarse de muchas maneras. Veamos, por ejemplo, las cuatro casillas rectangulares que forman una columna a la izquierda del gráfico. Sirven para anotar diferentes metas de conducta, como puede verse en el gráfico de Violeta.

Por otra parte, si este gráfico va a ser utilizado para seguir los progresos realizados en busca de un solo objetivo a lo largo de varias semanas, las casillas rectangulares sirven para registrar las semanas 1, 2, 3 y 4 en el plan, como se ve del gráfico de Tomás en el Capítulo 1 (pág.8). Otra opción es diseñarlo como un gráfico familiar, anotando el nombre de cada miembro

superior, y simplemente completar la grilla debajo de éstas con marcas positivas, estrellas, o stickers que se van acumulando diariamente. Cada casilla de la grilla puede estar destinada a una sola o más estrellas o marcas positivas.

El gráfico que nos ocupa puede adaptarse para hacer coincidir malas conductas que conllevan puntos de castigo al tiempo que se registran conductas deseadas. Para ello, sólo hay que pegar stickers, anotar marcas positivas o marcas negativas en línea aparte, como se ve en el ejemplo de la derecha, que utiliza dibujos de caras felices y desdichadas para ayudar a un pequeño a comprender cómo se registran las buenas conductas y las malas.

Finalmente, no olvide agregar algún título, foto, o dibujos motivadores en la parte superior del gráfico o pendiendo de los bordes.

Puede ver ejemplos adicionales del uso del Gráfico Diséñelo Usted Mismo en el Capítulo 3 y en el Capítulo 5, donde se utilizó para Carla y Alfredo.

★ Gráfico De Seguimiento ★

Este gráfico se compone de tres columnas que usted puede utilizar como desee. Dé un título a cada columna; por ejemplo, "Fecha", seguido por uno o dos objetivos, o utilice columnas separadas para registrar conductas positivas y negativas. El diseñó del grá-

Diséñelo Usted Mismo

LA HABITACIÓN PROLIJA DE VIOLETA							
	Lunes	Martes	Miércoles	Jueves	Viernes	Sábado	Domingo
Hace la cama	✓	✓	✓	✓	✓	✓	✓	Total 7
Recoge su ropa	✓	✓	✓	✓	✓			5
Guarda los juguetes en los estantes	✓		✓		✓			3
							Total= 15

☆ DISÉÑELO USTED MISMO ☆

de la familia y su meta en uno de los recuadros que forman la columna izquierda. El Capítulo 9 (pág. 82) muestra este gráfico utilizado para las tareas del hogar.

La hilera de casilleros para "títulos" que atraviesa la parte superior del gráfico también se presta a diferentes usos. Si usted anota los 7 días de la semana en esta hilera, queda un espacio libre para sumar las marcas positivas o puntos obtenidos durante la semana, si eso es lo que mejor sirve a su Plan de Recompensas. Otra opción es dejar en blanco las casillas de la parte

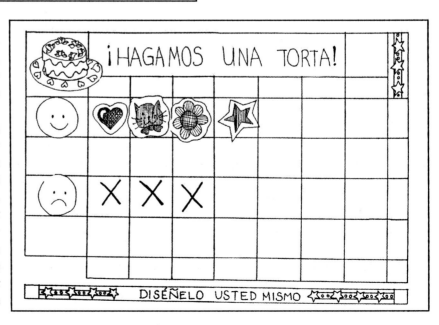

¡HAGAMOS UNA TORTA!

☆ DISÉÑELO USTED MISMO ☆

fico ofrece máxima flexibilidad. En los ejemplos que pueden verse aquí, Eric (ver Capítulo 6) recibe marcas positivas si se acuesta a la hora convenida (10.15 p.m.), y Alberto (ver Capítulo 4) se esfuerza por evitar empujar a sus amigos y desarrollar relaciones más positivas.

8.30 PM Prepararse para la escuela + jugar las damas	9.15 PM prepararse para la cama	9.45 PM relajarse 10.15 PM apagar la luz
Lunes 1/4 ✓	✓	✓
Martes 2/4 ✓		✓
Miércoles 3/4 ✓	✓	✓
Jueves 4/4	✓	✓
Viernes 5/4		
Lunes 8/4		
Martes 9/4		
Miércoles 10/4		

SEGUIMIENTO

¡Lo logré!	Metí la pata	Fecha
✓✓✓		Sábado 1/6 ✓
✓ ✓✓		Domingo 9/6 X
✓ ✓		Sábado 15/6 ✓
✓ ✓✓		Viernes 21/6 ✓
✓		Sábado 22/6 ✓
✓ ✓		Domingo 30/6 ✓

Gráficos de Seguimiento

Pueden verse otros modos de utilizar este gráfico en el modelo del Plan de Recompensas que se diseño para Katia en el Capítulo 5 y para Melissa y Katrina en el Capítulo 8.

★ Gráfico De Chequeo Diario ★

El gráfico de Chequeo Diario puede utilizarse de diversas maneras: es útil para registrar que las tareas del hogar, las tareas escolares, o las actividades que deben realizarse una o más veces por día se hayan cumplido satisfactoriamente, colocando marcas positivas o estrellas sobre el gráfico.

También es posible combinar un gráfico de Chequeo Diario con los Bolsillos para Puntos (pág. 106) o con los Tickets o Talones de Errores (pág. 110) para llevar

CHEQUEO DIARIO

Semana #1	
Lunes	✓
Martes	✓
Miércoles	✓
Jueves	X
Viernes	✓
Sábado	✓
Domingo	X

CHEQUEO DIARIO

Semana #1	Puntos ganados	Puntos perdidos
Lunes	5	2
Martes	6	1 ¡genial!
Miércoles	3	3
Jueves	6	1
Viernes	6	0
Sábado	3	1
Domingo	7	0

Gráficos de Chequeo Diario

cuenta del número de Puntos, Tickets, o Talones ganados en el día.

Pueden verse otros ejemplos del uso de este gráfico en el modelo del Plan de Recompensas para Elisa (Capítulo 7), para Estela (Capítulo 8, reproducido en la parte superior de la página, a la derecha), y para David (Capítulo 10).

GRÁFICOS "MI LÁMINA PROPIA"

Estos gráficos, que incluyen Alimentando al Gato, Bienvenido al Zoológico, La Tierra de los Dinosaurios, y La Casa de Muñecas, ofrecen un sticker como modesta recompensa; aún así, entretienen y capturan la imaginación de los menores. Para los niños es un premio elegir un sticker, decidir dónde ubicarlo, y crear una lámina atractiva. Estas actividades también les dan una sensación de independencia y control, inclusive si significan cumplir con lo que usted les exige.

★ Preparándose ★

Tendrá que comprar stickers adecuados al gráfico que ha elegido. Puede encontrarlos en jugueterías y librerías, así como en muchos comercios que venden artículos para las artes y hobbies. Es muy fácil conseguir animales para el zoológico, dinosaurios, alimentos y artículos para el hogar. Los gráficos Bienvenido al Zoológico, La Tierra de los Dinosaurios, y La Casa de Muñecas se forman pegando las dos páginas adyacentes correspondientes. La página que sigue al gráfico La Casa de Muñecas contiene dos opciones de figuras con familias de animales que usted o su hijo pueden colorear, recortar, y pegar sobre el gráfico. Tanto estas figuras como los stickers pueden constituirse en un premio a ser ganado. Encontrará los gráficos Mi Lámina Propia en la sección de Gráficos Separables [No. 4, 5, 6 y 7] a continuación de este capítulo.

★ Cómo Utilizar Los Gráficos Con Láminas ★

Sencillamente, premie a su hijo con un sticker cada vez que demuestra la conducta deseada. A fin de estimular su interés, aliéntelo a colorear el gráfico, pensar nombres para los personajes o animales, y finalmente cuelgue en la habitación del niño, en el espacio de juegos, o sobre la nevera; dondequiera que su hijo pueda disfrutar de su creación.

Gráfico "Alimentando al Gato"

Gráfico "La Casa de Muñecas"

Pueden encontrarse más ejemplos del uso de estos gráficos en los modelos de los Planes de Recompensas para Alex (Capítulo 4), Carlos (Capítulo 6), Sara (Capítulo 7), y Graciela (capítulo 9).

SEGUIMIENTO CON IMAGINACIÓN

Usted ha trabajado con algunos Gráficos Básicos, y los ojos de su hija ya no brillan cuando sugiere un nuevo Plan de Recompensas. O tal vez esté buscando un gráfico que capture la atención a tal punto que su hijo lo encuentre irresistible, a pesar de lo obstinado que se muestra en persistir en la misma conducta. Quizá usted sea el tipo de padre que, desde el principio, quiere algo un poco más complicado, pero también más creativo.

Los gráficos descriptos a continuación requieren de más dedicación y preparación que los Gráficos Básicos, pero el esfuerzo bien vale la pena si el gráfico atrae la atención de su hijo.

★ Gráfico De La Caza Del Tesoro ★

La búsqueda de tesoros es una recompensa en sí misma. El gráfico "La Caza del Tesoro" premia a su hijo guiándolo a medida que avanza paso a paso luego de mostrar la conducta deseada. Siguiendo las pistas, encuentra un "tesoro" oculto. La sensación de estar viviendo una aventura hace que la recompensa proporcione un entusiasmo que no existiría si usted simplemente se la diera en mano. Existen dos versiones de este gráfico: una con pistas explícitas a seguir, y otra con espacios en blanco en los que usted puede escribir sus propias pistas.

Preparándose

Antes de comenzar, reúna una cantidad de premios para que su hijo los encuentre. Use su imaginación: stickers, juguetes de poco precio, Cupones de Premio *(ver la sección Gráficos Separables [No. 15])* para paseos o actividades, galletas favoritas, caramelos con envolturas brillantes, o monedas de bajo valor.

Cómo Utilizar el Gráfico

Cada vez que su hijo se haga merecedor de la oportunidad de avanzar un paso en el gráfico de La Caza del Tesoro, puede buscar un tesoro siguiendo la pista que el gráfico le indica. Asegúrese de llevar cuenta de los progresos del niño y de esconder el tesoro con la debida anticipación. Así, siempre habrá un botín disponible mientras su hijo descifra la próxima pista.

Si al niño le resulta difícil encontrar el premio, no le escatime sugerencias; se trata de que él se sienta realizado como detective. Luego de que su hijo haya en-

Gráfico "La Caza del Tesoro"

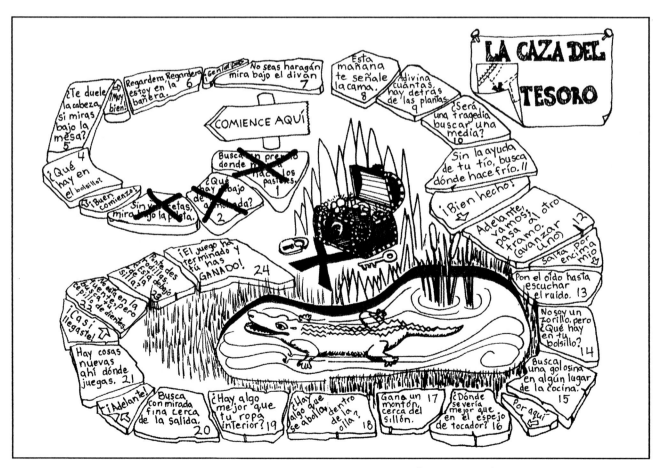

contrado el tesoro, marque el paso correspondiente con una X.

Un modelo del uso de este Plan de Recompensas puede verse en el caso de Olivia (Capítulo 6).

★ Gráfico "Bolsillos Para Puntos" ★

Estos gráficos dan muy buenos resultados con niños que gustan de hacer las cosas por sí mismos. Los puntos consisten en tiras de papel que se trasladan a bolsillos después de que su hijo se ha comportado de un modo que usted aprueba o desaprueba. El gráfico se arma adhiriendo los tres bolsillos a la superficie del gráfico, y se puede volver a usar. Este gráfico se encuentra en la sección Gráficos Separables [No. 10] que sigue a este capítulo.

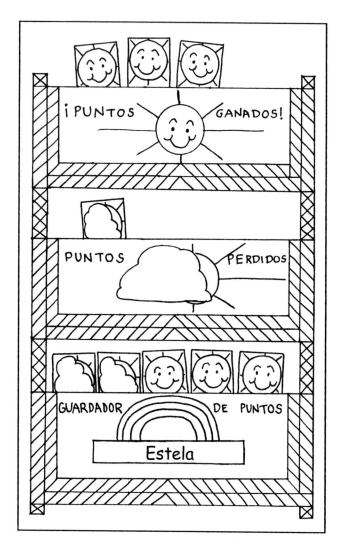

"Bolsillos para Puntos"

Preparándose

Este gráfico consta de siete pasos:

1. Recorte, copie, o baje el gráfico Bolsillos para Puntos (2 páginas) de la sección de Separables. Quite también la hoja de los Puntos del Sol y de los Puntos de las Nubes.
2. Recorte los tres bolsillos (el Sol, las Nubes, y el Arco Iris) siguiendo las sólidas líneas exteriores. (¡No corte la parte trasera de los bolsillos que se encuentran en la página del gráfico!)
3. Coloque los bolsillos recortados sobre los correspondientes dibujos numerados en el gráfico, y manténgalos en su lugar pegando tres costados de las diagonales de cada bolsillo con cinta adhesiva.
4. Si lo desea, invite a su hijo a colorear el gráfico, y los talones del Sol y de las Nubes
5. Recorte los Talones con los Puntos del Sol y de las Nubes.
6. Escriba el nombre de su hijo en el Bolsillo Guardador de Puntos que se encuentra en la parte inferior del gráfico.

Cómo Utilizar el Gráfico

Cada vez que su hijo gane un punto, puede tomar un Punto del Sol del Bolsillo Guardador de Puntos y colocarlo en el bolsillo de Puntos Ganados. Cuando pierde un punto, tomará un Punto de las Nubes del bolsillo Guardador de Puntos y lo transfiere al bolsillo de los Puntos Perdidos. Su hijo puede recibir una pequeña recompensa cada día, o puede obtener un premio después de obtener un número mínimo de puntos durante un período más largo. Si su hijo tiene que trabajar varios días para merecer la recompensa, puede recurrir a la lista de Chequeo Diario para registrar los puntos ganados y perdidos.

Un modelo del uso de este Plan de Recompensas se encuentra en el caso de Estela (Capítulo 8).

★ Gráfico "La Laguna Azul" ★

Este gráfico presenta una manera creativa de llevar cuenta de las conductas deseadas e indeseadas. Su formato innovador seguramente inspirará a su hijo a esforzarse por comportarse correctamente. En este gráfico, dos balsas parten hacia su destino. Una de ellas, llamada *Brisa del Océano*, avanza gracias a la buena conducta, y la otra – *Balsa Andrajosa* – se mueve impulsada por el mal comportamiento. Resulta evidente que el objetivo es que *Brisa del Océano* llegue primero.

Las balsas siguen dos rutas que terminan en puntos de llegada diferentes: *Brisa del Océano* se dirige a la idílica Laguna Azul, y *Balsa Andrajosa* ancla en los Pantanos Sombríos. El rumbo que conduce a la Laguna Azul es

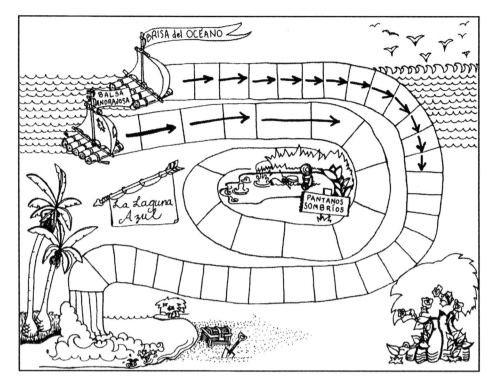

Gráfico "La Laguna Azul"

que las balsas corran parejas, su hijo debe demostrar dos o tres buenas conductas por cada falta. Si usted supone que su hijo se comportará mal con más frecuencia, agregue más casillas a la ruta de los Pantanos, dividiendo algunas en dos con una raya negra. Por supuesto, usted desea que su hijo tenga éxito, de modo que debe asegurarse de que la lista de conductas necesarias para impeler a *Brisa del Océano* hacia delante sea lo bastante generosa para permitirle avanzar. Finalmente, decida qué recompensa va a otorgar... suponiendo que *Brisa del Océano* llegue a su destino.

más largo que el otro, porque ofrece a sus niños más oportunidades de impeler a *Brisa del Océano* hacia adelante, comprometiéndose con conductas positivas, que de timonear *Balsa Andrajosa* mediante conductas negativas. Así es como el acento queda puesto sobre la buena conducta.

El gráfico de La Laguna Azul puede ser utilizado para un solo niño o para equipos de dos o más niños que colaboren entre sí. Cuando usted diseña un Plan de Recompensas para un equipo, su propósito radica en fomentar el espíritu de cooperación. Puede decidir que *Brisa del Océano* avanzará siempre que uno de los niños cumpla con la conducta deseada pero, de la misma manera, *Balsa Andrajosa* se moverá hacia delante en idénticas circunstancias.

No recomiendo utilizar ambas rutas para mantener registros separados de los logros de dos niños. En particular cuando se trata de hermanos, una situación que conduce a que uno resulte ganador mientras el otro pierde no puede sino llevar a herir los sentimientos de uno de los dos.

Preparándose

Al decidir acerca de la lista de conductas que impulsarán las balsas, debe tener en cuenta las diferencias relativas en el largo de ambos recorridos. La ruta de *Brisa del Océano* consta de 50 movimientos, mientras que los Pantanos se alcanzan en sólo 12. Entonces, para

Uso del Gráfico de La Laguna Azul

Cada vez que uno de los niños se conduzca como usted espera que lo haga, indique el avance de la balsa dibujando una flecha a través de cada casilla del recorrido con un marcador o lápiz de color brillante.

Hay un modelo del uso de este Plan de Recompensas para Diego y Rolando (Capítulo 8).

★ Gráfico De Privilegios ★

Si usted se encuentra empeñado en que su hijo mayor mejore la calidad de su trabajo en un área cualquiera, este gráfico es una buena opción. Le ayuda a recompensar diferentes niveles de calidad asociando los privilegios diarios a la calidad de, digamos, una tarea escolar, o la práctica semanal de un instrumento. Tal vez usted desee recompensar diversos niveles de cooperación frente a una prescripción médica: el uso de un entablillado en la mano o de un parche en el ojo. Además, puede seguir los progresos con miras a una recompensa importante, ganada después de un período determinado de tiempo.

Preparándose

Usted necesita reflexionar cuidadosamente acerca del grado de calidad o nivel de cooperación que es dable esperar, y asimismo pensar de qué modo va a estimar el éxito de los esfuerzos de su hijo. Tal vez sería buena idea preguntarle a su maestra o profesor de música si se avendría a proporcionarle una evaluación periódica del trabajo del niño. O tal vez el tiempo que su hijo pasa dedicado a las tareas en cuestión sea una buena manera

PRIVILEGIOS

PARA GANAR UNA ESTRELLA DE ORO:	PRIVILEGIOS DE LA ESTRELLA DE ORO	¡LO LOGRÉ! (marcas positivas)
Usar el entablillado por lo menos 10 horas al día	• Me llevan en auto a la escuela • Almuerzo caliente en la escuela • Postre favorito	✓ ✓
PARA GANAR UNA ESTRELLA DE PLATA:	PRIVILEGIOS DE LA ESTRELLA DE PLATA	
Usar el entablillado por lo menos 8 horas al día	• Almuerzo caliente en la escuela • Postre favorito para la cena	✓ ✓ ✓
PARA GANAR UNA ESTRELLA DE BRONCE:	PRIVILEGIOS DE LA ESTRELLA DE BRONCE	
Usar el entablillado por lo menos 6 horas al día	• Almuerzo caliente en la escuela	✓
Usar lo menos de 6 horas al día	NO HAY PRIVILEGIOS	(¡EPA!)

Gráfico de Privilegios

de medir el rendimiento. Si su objetivo está dirigido al cumplimiento de un tratamiento médico, puede confiar en los informes de un observador externo; por ejemplo, la maestra del grado. Si su niño está en casa, puede organizar un sistema de chequeo. También debe pensar acerca de los privilegios que su hijo obtendrá en los distintos niveles de calidad o grado de cooperación. Si decide que los privilegios de los que su hijo goza actualmente corresponden al nivel de la Estrella de Oro, pero el niño raramente se desempeña a ese nivel, puede percibir que los privilegios otorgados por las Estrellas de Plata y de Bronce no son otra cosa que castigos. Para endulzar el tono del plan, ofrezca una recompensa final por demostrar mejoras en la conducta a través del tiempo. Si usted ofrece una recompensa extra, decida cuál es el mínimo de marcas positivas requeridas a los distintos niveles. (Por ejemplo, para un plan cuya duración es de dos semanas, usted puede pedirle a su hijo que obtenga por lo menos 7 Estrellas de Oro y no más de 2 Estrellas de Bronce.

A su vez, la Estrella de Oro puede ofrecerle a su hijo privilegios de los que no goza en el presente. En tal caso,

no es necesaria una recompensa extra, pues el premio consiste en un conjunto ampliado de privilegios de los que podrá disfrutar mientras cumpla con el objetivo.

Uso del Gráfico de Privilegios

Escriba en el gráfico las conductas y privilegios que han sido acordados. Coloque una marca positiva en la columna correspondiente cada vez que su hijo cumpla con lo establecido para obtener los distintos tipos de Estrellas. Haga lo posible por mantener el tono positivo del plan. Si su hijo pierde privilegios, muéstrese comprensivo y busque cómo ayudarlo a encontrar oportunidades de recuperarlos.

Un modelo del uso de este Plan de Recompensas se encuentra para Gabriel (Capítulo 10).

TODOS LOS EXTRAS

Esta sección ofrece una variedad de ítems que pueden utilizarse como variantes de un Plan de Recompensas o constituir un modo formal de comenzar o poner fin a un plan. Usted puede utilizar un Contrato (pág. 110) para establecer claramente las condiciones del plan antes de su implementación, y luego un Certificado "¡Lo logré!" (pág. 111) para certificar que el plan ha concluido. También encontrará aquí recompensas novedosas que atraen a los menores; por ejemplo, Bonos Felices y Actividades Placenteras, capaces de constituirse en recompensas sumamente atractivas, aunque sencillas.

★ Bonos Felices, Medallas De Oro, Y Cupones De Premios ★

Los pequeños se conforman con un simple papelito que les otorgue reconocimiento por un trabajo bien hecho. Los Bonos Felices y las Medallas de Oro constituyen una recompensa por sí mismos; no es necesario que usted prometa nada más que estos simples talones de papel. Los Bonos Felices contribuyen a que un pequeño premio o actividad que el niño ha ganado se convierta en algo especial. Además, la posibilidad tangible de sostener el papel entre sus dedos ayuda a sus hijos a esperar esa recompensa que les será entregada en un momento posterior.

Tome la página correspondiente de la sección de Separables que sigue a este capítulo, haga algunas fotocopias si piensa que esto será un gran éxito en la práctica con sus hijos, y recorte los bonos, medallas, o cupones. Luego escriba sobre ellos una frase apropiada y, si lo desea, haga también un dibujo para comunicar cuál será la conducta recompensada o la actividad prometida. Por ejemplo, si va a otorgar un Bono Feliz porque el

Bonos Felices, Medalla de Oro, y Cupón de Premios

Actividades Placenteras

niño coopera tomando su medicina, puede escribir al dorso: "¡Tomé mi medicina como una niña mayorcita!". (Aunque su hija todavía no sepa leer, si le lee la frase con entusiasmo la hará feliz). Si va a darle a su hijo una Medalla de Oro porque ha dejado de empujar a su hermano menor uno o más días, puede dibujar a sus dos hijos tomados del brazo y escribir: "¡Primer Premio por ser un buen hermano mayor!". Los Cupones de Premios prometen una recompensa que será entregada con posterioridad, de modo que usted puede escribir algo así como "¡Hornearemos galletas juntos! o "Me he ganado un paseo al parque".

Usted o su hijo pueden decorar estos artículos con stickers, marcadores, azul brillante, o trozos de cinta. Puede darle a su hijo una caja especial; por ejemplo, una caja de zapatos recubierta de papel de regalo, para que guarde en ella los bonos y cupones. Las Medallas de Oro pueden pegarse sobre un trozo de cartón para que no se rompan; luego se les pasa una cinta para que el orgulloso ganador pueda colgárselas del cuello.

El uso de los Bonos Felices se muestra en el modelo del Plan de Recompensas utilizado para Sara (Capítulo 7); la Medalla de Oro se menciona en la historia de Alex (Capítulo 4), y hay un plan que utiliza Cupones de Premio para Natalia en el Plan para Partir de la Fiesta (Capítulo 1).

★ Actividades Placenteras ★

He aquí una sencilla manera de transformar actividades no habituales en recompensas especiales. Su niño introduce la mano en un recipiente, saca una tirilla de papel que describe una actividad, y pasa a disfrutar de la Actividad Placentera. ¡Parte de la diversión reside en la sorpresa!

Al final del libro se sugieren algunas de estas actividades. Elija las que crea que su hijo disfrutará más, o invente sus propias propuestas y escríbalas en las tirillas. Luego, póngalas dentro de una bolsa de papel colorido o en algún otro recipiente. Cuando su hijo se comporte como usted desea, permítale revolver la bolsa y extraer su recompensa.

Encontrará un modelo de un Plan de Recompensas que utiliza las Actividades Placenteras para Sara (Capítulo 7).

★ Tickets Y Talones De Errores ★

En lugar de registrar puntos sobre un gráfico, usted puede también llevar cuenta de la conducta de su hijo de manera más concreta, entregándole un Ticket cuando logra cumplir con un objetivo, o con un talón que lleve la inscripción "¡Me equivoqué!" cuando la conducta no es la deseada. A los menores les gusta palpar y contar

Tickets y Talones de Errores

★ Contrato ★

Un contrato resulta útil por una infinidad de razones. En principio, enfatiza la seriedad del Plan de Recompensas. La sensación "adulta" de un acuerdo de este tipo puede ser halagadora: "¡Vaya! Papá piensa que soy lo bastante grande para firmar un Contrato!". No cabe duda de que es necesario que las condiciones del plan sean claras para todos los involucrados.

Discuta los términos del contrato con su hijo, dejando bien en claro lo que pretende y cuándo desea que sus condiciones se cumplan. Si su hijo propone modificaciones razonables, acéptelas: de eso se trata la

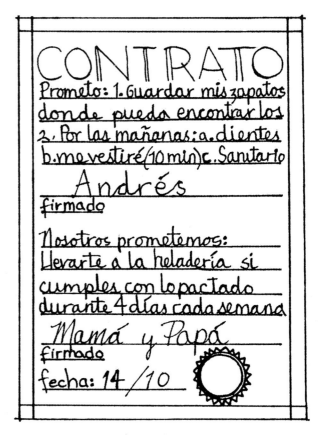

Contrato

sus Tickets, por cuanto ello les hace sentir que están a cargo del Plan de Recompensas. Los talones de "error" constituyen una forma neutral de comunicar a su hijo que se ha conducido erradamente.

Puede usar los tickets tal cual vienen, o puede sugerir a su hijo que los coloree con crayones, marcadores, o acuarelas. Si desea hacerlo, le será más fácil antes de que usted los separe. Luego, cuando los haya cortado a lo largo de las líneas enteras, consérvelos en un sobre o bolsa especial, y déle a su hijo otro para que guarde allí los tickets que gane. Una lata de café forrada con papel (de regalo o sencillo, decorado por su hijo) resulta un gran "Banco de Tickets" para guardar los tickets ganados; sólo necesita hacer una ranura en el plástico de la tapa.

En la mayoría de los casos, estos Tickets y Talones se incluyen dentro del Plan de Recompensas que prometen un premio a cambio de una determinada cantidad de Tickets ganados o un castigo por los Talones obtenidos. (Tal vez es conveniente registrar ambos por separado para que no desaparezca ninguno). Sin embargo, en ciertas ocasiones, a los niños les basta con el reconocimiento y la advertencia de lo que unos y otros representan para modificar su conducta en la dirección deseada.

El modelo del Plan de Recompensas usado para Isabel (Capítulo 1) incluye el uso de Tickets; los Talones de Errores se encuentran en el plan aplicado a Clara en el mismo capítulo.

negociación. Luego llene el Contrato y fírmelo junto con su hijo.

Encontrará modelos de Planes de Recompensas que incluyen contratos para Elisa (Capítulo 7) y Pablo (Capítulo 9).

★ Contrato Ilustrado ★

Que su pequeño no sepa leer todavía no significa que no pueda "firmar" un contrato. Puede describirle un plan utilizando láminas, y un Contrato Ilustrado servirá de recordatorio visual del Plan de Recompensas a la par que intrigará a su niño. Además, este tipo de Contrato

Contrato Ilustrado

Si lo desea, agregue epígrafes. Cuando se lo muestre a su hijo, él lo podrá "firmar" coloreando o decorando el gráfico.

Colóquelo en un lugar bien visible y prepárese para cumplir con su parte del trato en cuanto el niño cumpla con la suya.

★ Certificado "¡Lo Logré!" ★

Un toque final. El Certificado "¡Lo logré!" ofrece una forma adicional de felicitar a su hijo por un trabajo bien hecho. También implica que el Plan de Recompensas ha llegado a su fin y que usted espera que el niño continúe con la conducta que ha modificado sin esperar nuevas recompensas.

Cuando un Plan de Recompensas termina y su hijo ha mejorado considerablemente durante su desarrollo, llene uno de estos certificados y entrégueselo con orgullo. Si ambos son afectos a la puesta en escena (moderada), organice una ceremonia de entrega de premios. Haga un anuncio formal de los logros del niño, y luego haga entrega del certificado. Si está considerando implementar otro Plan de Recompensas para modificar otra conducta, dé al niño una caja de cartón para que la decore y guarde en ella los certificados que obtendrá en el futuro. ¡Es de esperar que su hijo aspire a ganar toda una colección de ellos!

Encontrará el uso de un modelo de un Plan de Recompensas que incluye este certificado para Olivia (Capítulo 6).

le será útil para hacer comprender a su hijo el marco de tiempo dentro del cual deben cumplirse las condiciones para ganar la recompensa. En la parte superior de la página (basada en el modelo del Plan de Recompensas que se utilizó con Carlos en el Capítulo 6), puede verse que los 7 círculos representan los 7 días en que Carlos debe dormir en su propia cama antes de ganarse el paseo al zoológico.

Las negociaciones de los términos de un contrato no son tan útiles con los pequeñines como con los niños mayorcitos. Los pequeños esperan que sus padres les digan lo que deben hacer. ¡Adelante! Dibuje algún aspecto del comportamiento que espera en la parte superior (Yo) y de la recompensa prometida en la parte inferior (Tú).

Certificado "¡Lo Logré!"

GRÁFICOS SEPARABLES

Gráficos Separables, Recompensas, Contratos Y Extras

Nota: Los gráficos de esta sección fueron diseñados para uso personal y pueden ser fotocopiados sin autorización especial. El uso o distribución comercial no está permitido, por lo cual debe pedirse autorización a tales fines dirigiéndose por e–mail a info@pintobooks.com o por escrito a Jorge Pinto Books, 18 East 69th St., New York, NY, USA 10021. Si desea recibir información adicional o formular preguntas, puede también contactar a la autora, Virginia Shiller, en la dirección drashiller@recompensasparaniños.com o drshiller@rewardsforkids.com, o dirigirse al editor, Jorge Pinto, jpinto@mac.com

Listado De Gráficos, Premios, Contratos, Y Extras

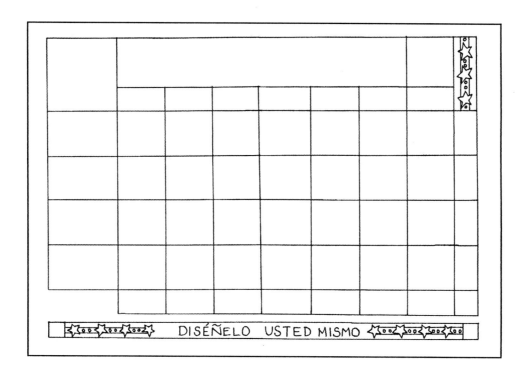

Gráfico "Diséñelo Usted Mismo"

Pegue dos hojas por el borde para armar el gráfico en su tamaño natural.

DISÉÑELO

1A

USTED MISMO

1B

SEGUIMIENTO

_____ _____ _____
_____ _____ _____
_____ _____ _____
_____ _____ _____
_____ _____ _____
_____ _____ _____
_____ _____ _____
_____ _____ _____
_____ _____ _____
_____ _____ _____

SEGUIMIENTO

_____ _____ _____
_____ _____ _____
_____ _____ _____
_____ _____ _____
_____ _____ _____
_____ _____ _____
_____ _____ _____
_____ _____ _____
_____ _____ _____
_____ _____ _____

2

CHEQUEO DIARIO

CHEQUEO DIARIO

3

4

Gráfico "Bienvenido Al Zoológico"

Pegue dos hojas por el borde para armar el gráfico en su tamaño natural.

5A

5B

Gráfico "La Tierra De Los Dinosaurios"

Pegue dos hojas por el borde para armar el gráfico en su tamaño natural.

6A

LA TIERRA DE LOS
DINOSAURIOS

6B

Gráfico "La Casa De Muñecas"

Pegue dos hojas por el borde para armar el gráfico en su tamaño natural.

(La página que sigue al gráfico La Casa de Muñecas contiene dos opciones de figuras con familias de animales que usted o su hijo pueden colorear, recortar, y pegar sobre el gráfico. Tanto estas figuras como los stickers pueden constituirse en un premio a ser ganado.)

Figuras Con Familias De Animales Para Usar En El Gráfico "La Casa De Muñecas"

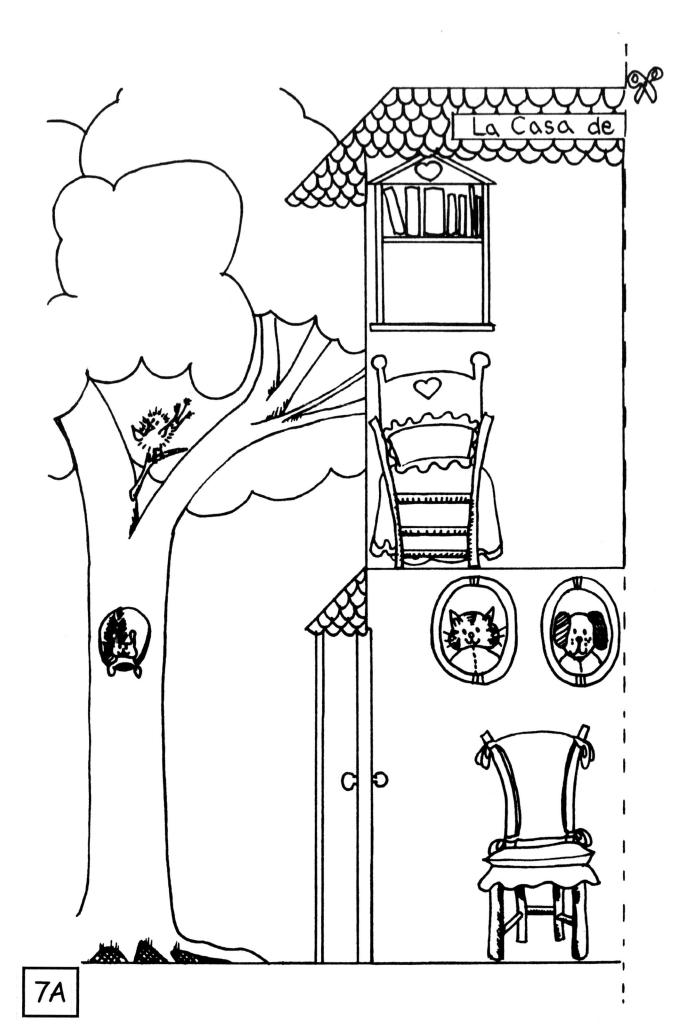

La Casa de

7A

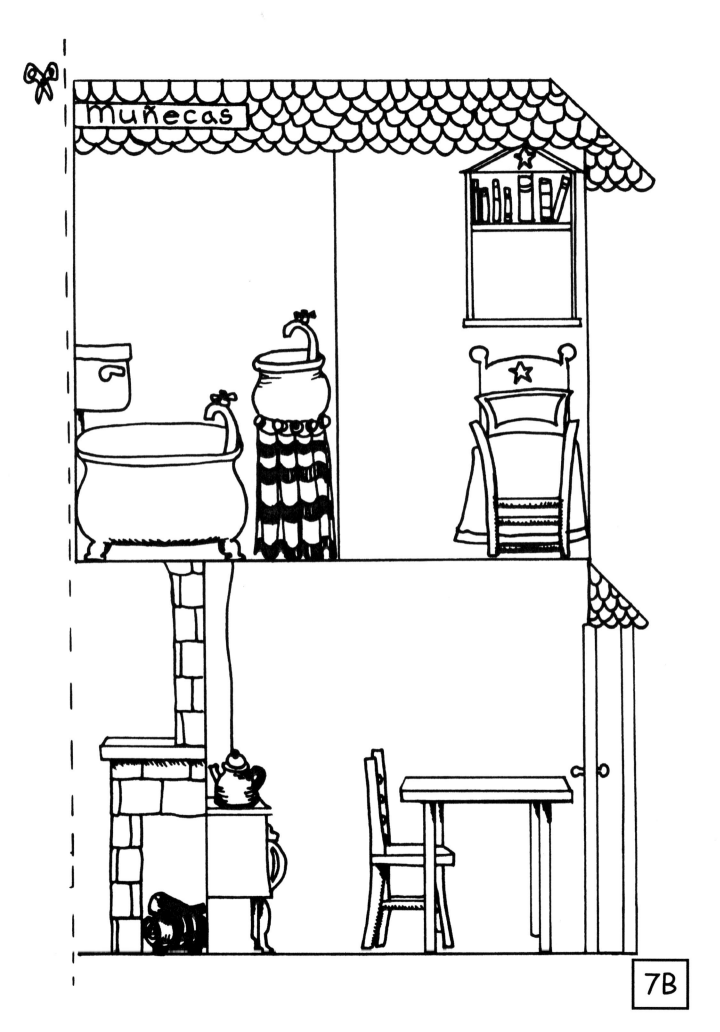

7B

Figuras Con Familias De Animales Para Usar En El Gráfico
"La Casa De Muñecas"

7C

Gráfico "La Caza Del Tesoro" (Con Pistas)

Pegue dos hojas por el borde para armar el gráfico en su tamaño natural.

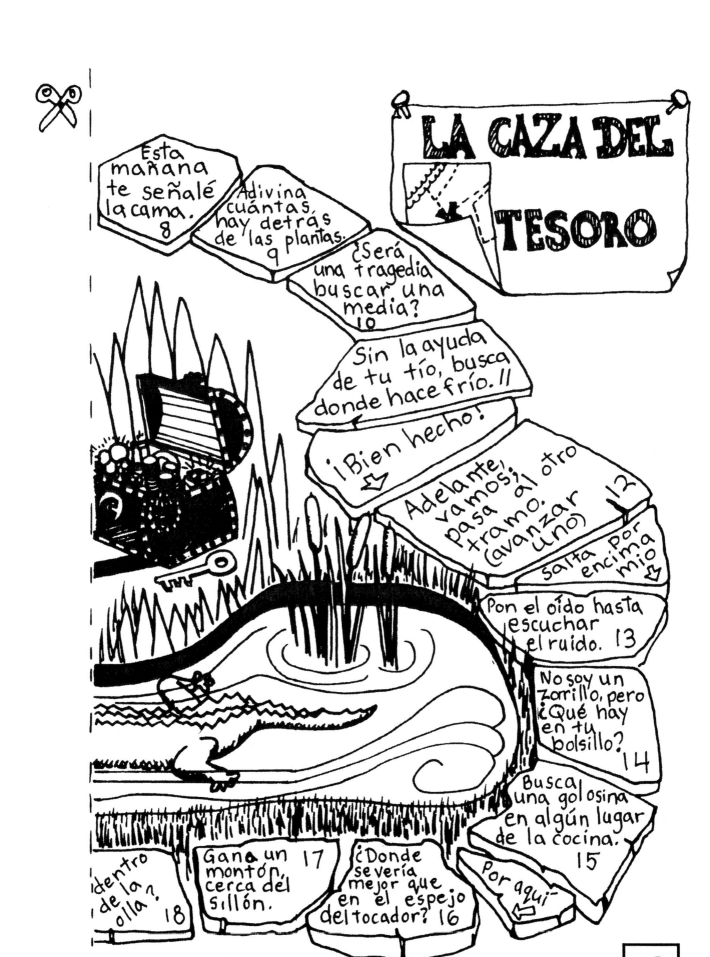

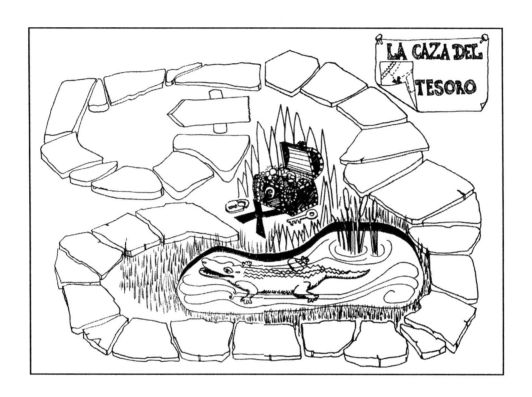

Gráfico "La Caza Del Tesoro" (Escriben Las Pistas Usted Mismo)

Pegue dos hojas por el borde para armar el gráfico en su tamaño natural.

9

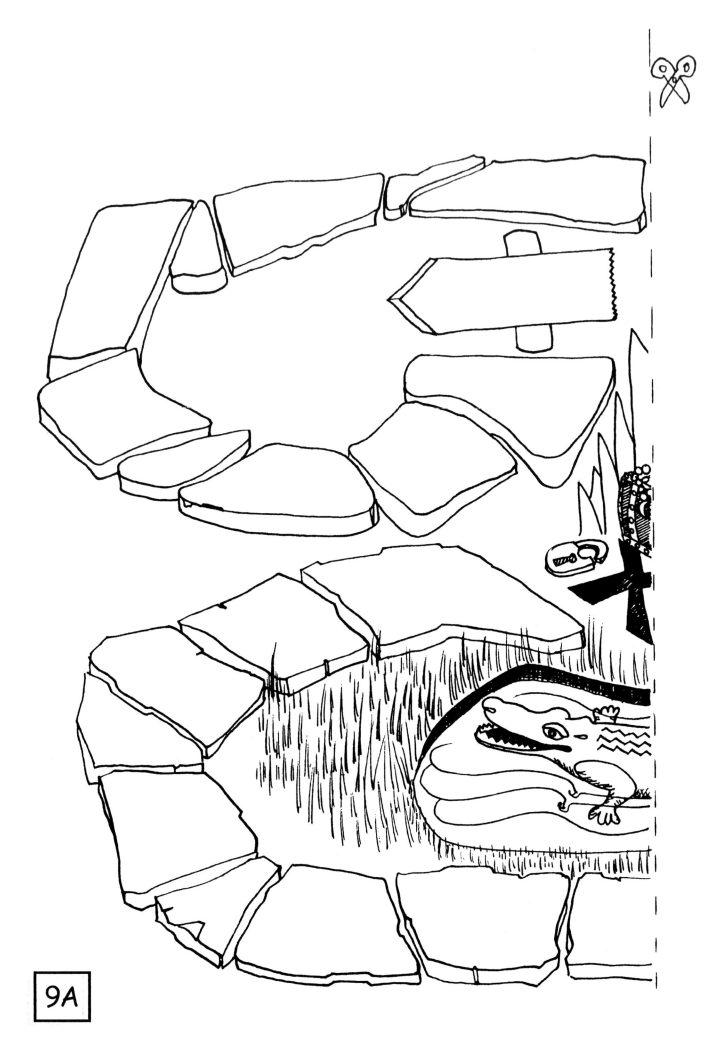

9A

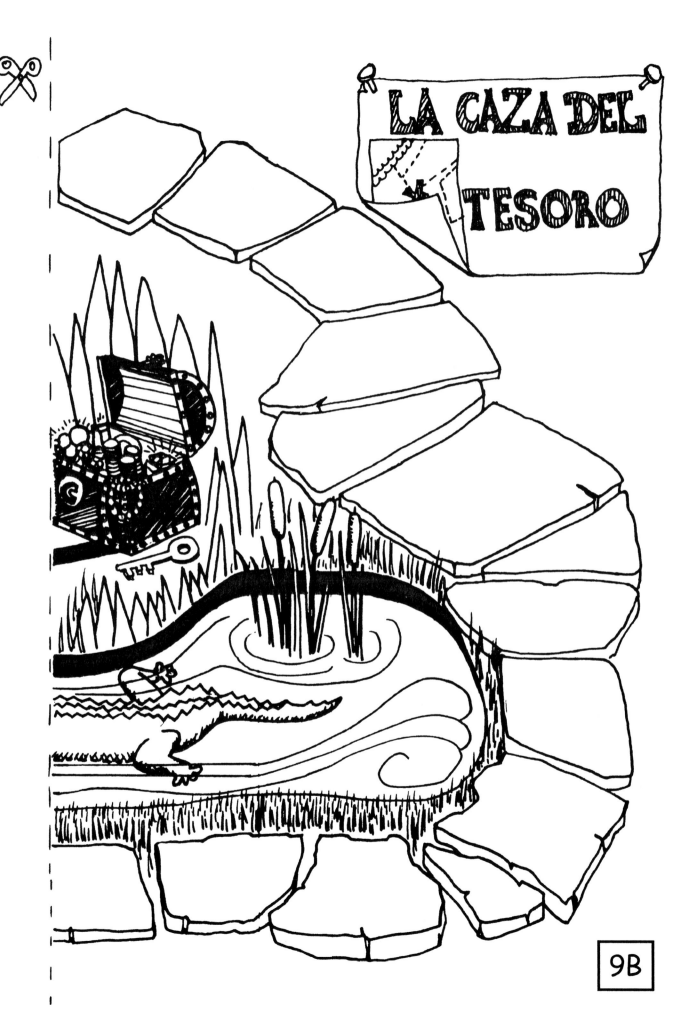

LA CAZA DEL TESORO

9B

Pegue
1

"PUNTOS
GANADOS"
←↓→ aquí
Sobre ambos costados y en la parte inferior

Pegue
2

"PUNTOS
PERDIDOS"
←↓→ aquí
Sobre ambos costados y en la parte inferior

Pegue
3

"GUARDADOR
DE PUNTOS"
aquí
←↓→
Sobre ambos costados y en la parte inferior

gráfico "Bolsillos Para Puntos"

10A

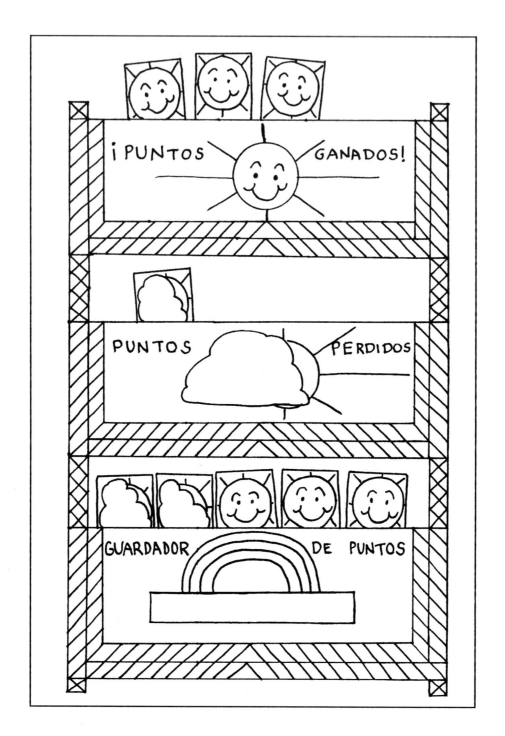

Gráfico de Puntos (completo)

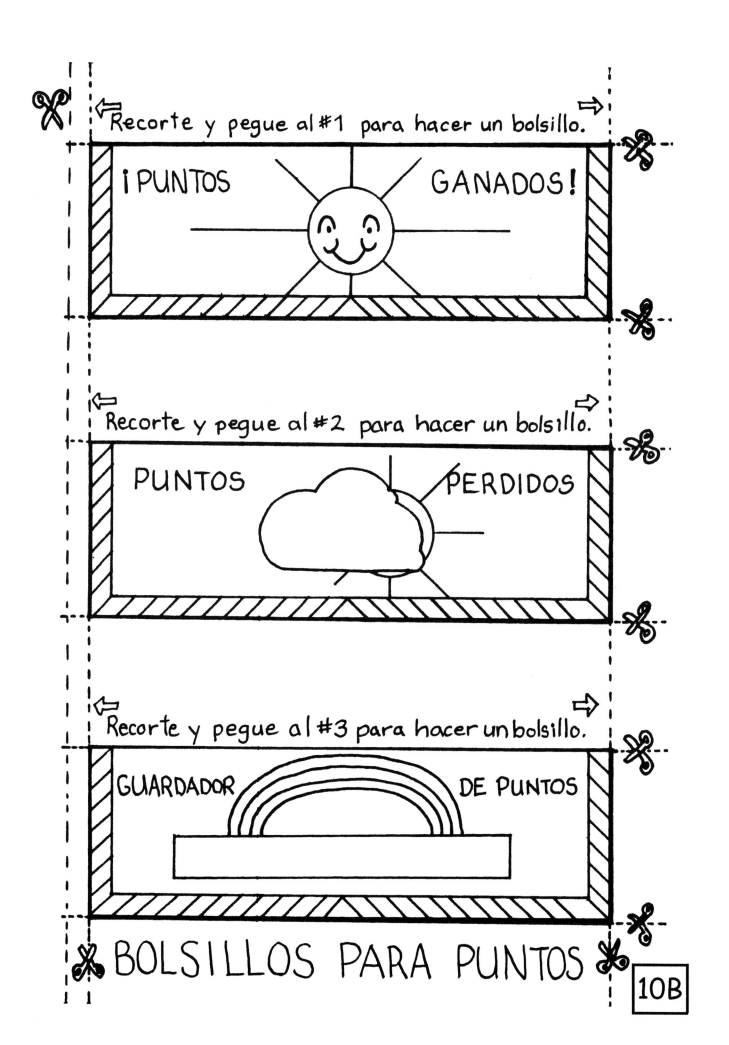

Recorte y pegue al #1 para hacer un bolsillo.

¡PUNTOS   GANADOS!

Recorte y pegue al #2 para hacer un bolsillo.

PUNTOS   PERDIDOS

Recorte y pegue al #3 para hacer un bolsillo.

GUARDADOR   DE PUNTOS

BOLSILLOS PARA PUNTOS

10B

talones de puntos

10C

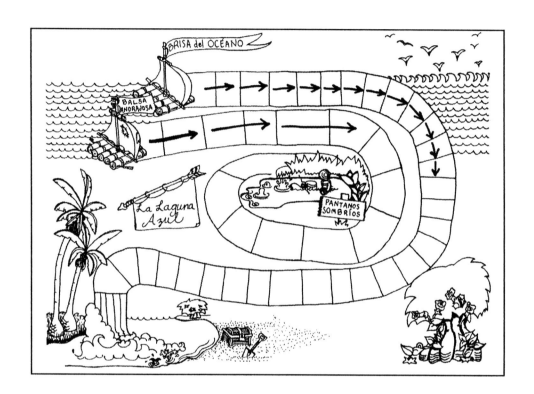

Gráfico "La Laguna Azul"

Pegue dos hojas por el borde para armar el gráfico en su tamaño natural.

11A

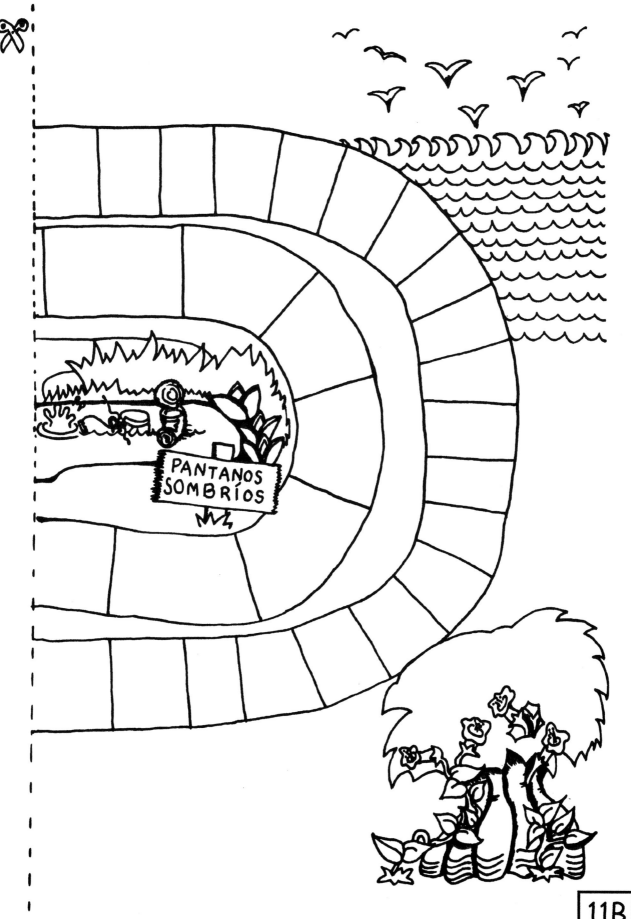

PANTANOS
SOMBRÍOS

11B

PRIVILEGIOS

PARA GANAR UNA ESTRELLA DE ORO:	PRIVILEGIOS DE LA ESTRELLA DE ORO	¡LO LOGRÉ! (marcas positivas)
PARA GANAR UNA ESTRELLA DE PLATA:	PRIVILEGIOS DE LA ESTRELLA DE PLATA	
PARA GANAR UNA ESTRELLA DE BRONCE:	PRIVILEGIOS DE LA ESTRELLA DE BRONCE	
	NO HAY PRIVILEGIOS	(¡EPA!)

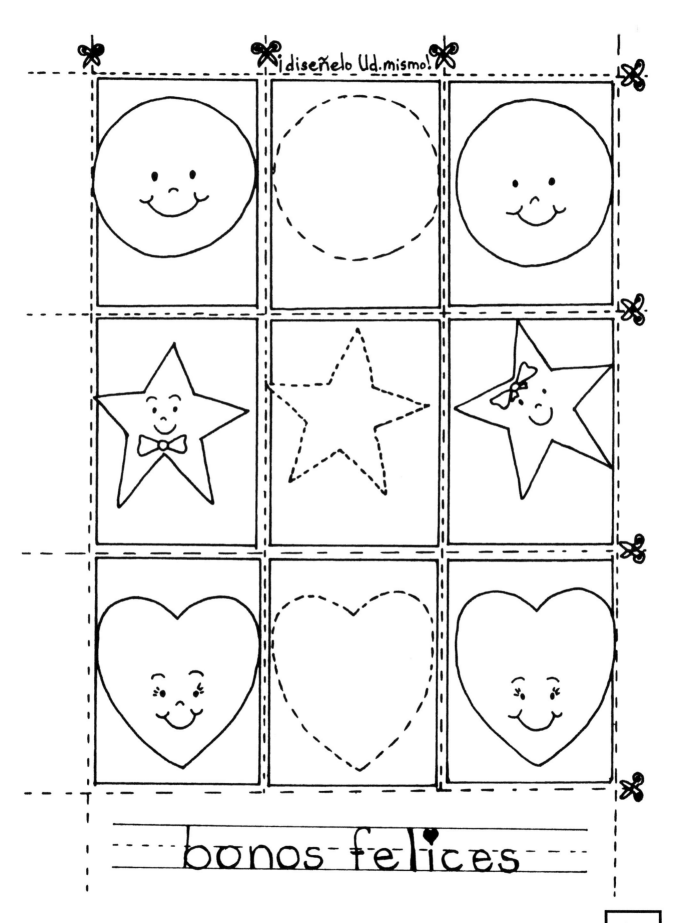

¡diseñelo Ud. mismo!

bonos felices

13

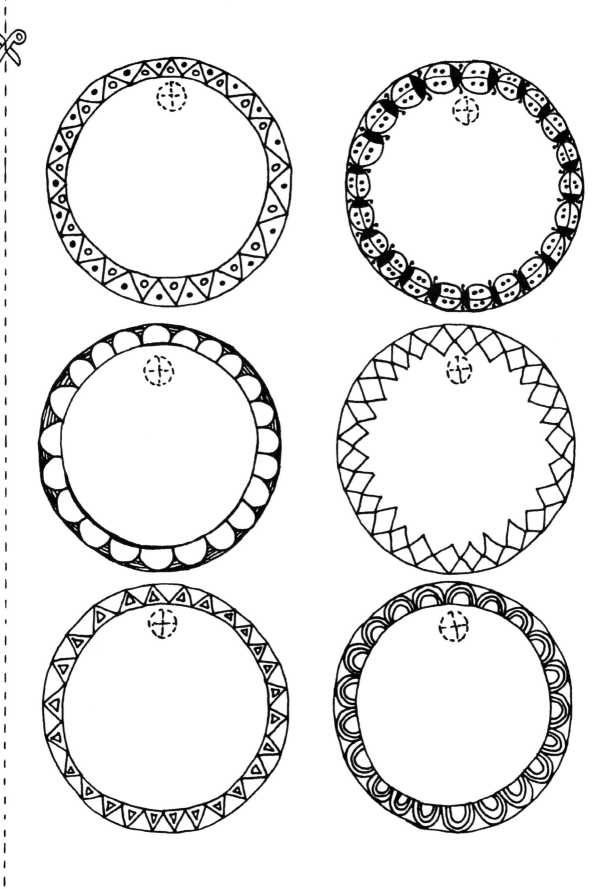

MEDALLAS de ORO

14

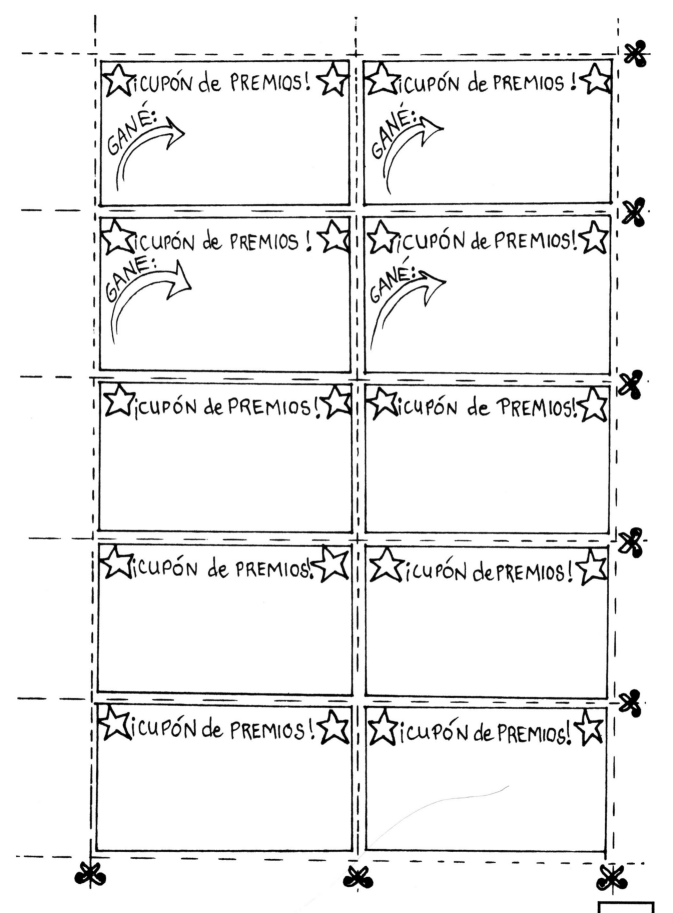

15

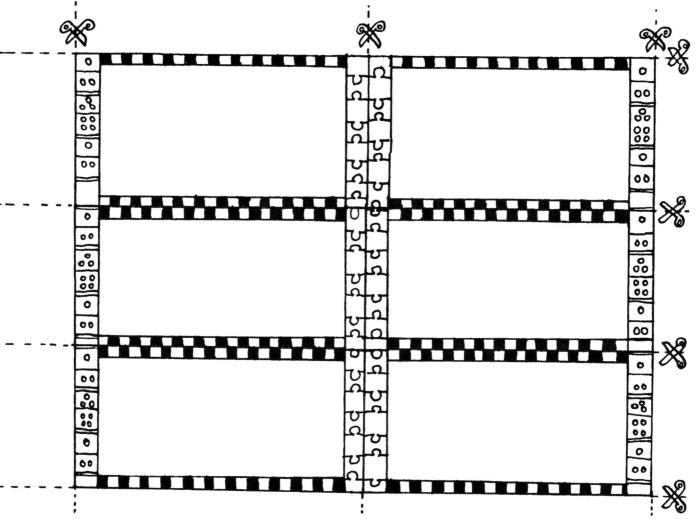

ACTIVIDADES PLACENTERAS

En las casillas vacías, escriba las actividades que les gustan a sus hijos.

SUGERENCIAS:

- Elige el menú de mañana (de entre las opciones propuestas)
- Pídele a mamá que cante su canción favorita
- Pide que te lleven a babuchas
- Haz un rompecabezas
- Haz un budín con mamá o papá
- Construye un castillo de bloques con mamá o papá
- Juega una carrera de autos con mamá o papá
- Haz un avioncito de papel
- Haz un collar de corazones con papel y piolín
- Aprende un baile nuevo
- Trénzate el cabello con una cinta

16

TICKETS

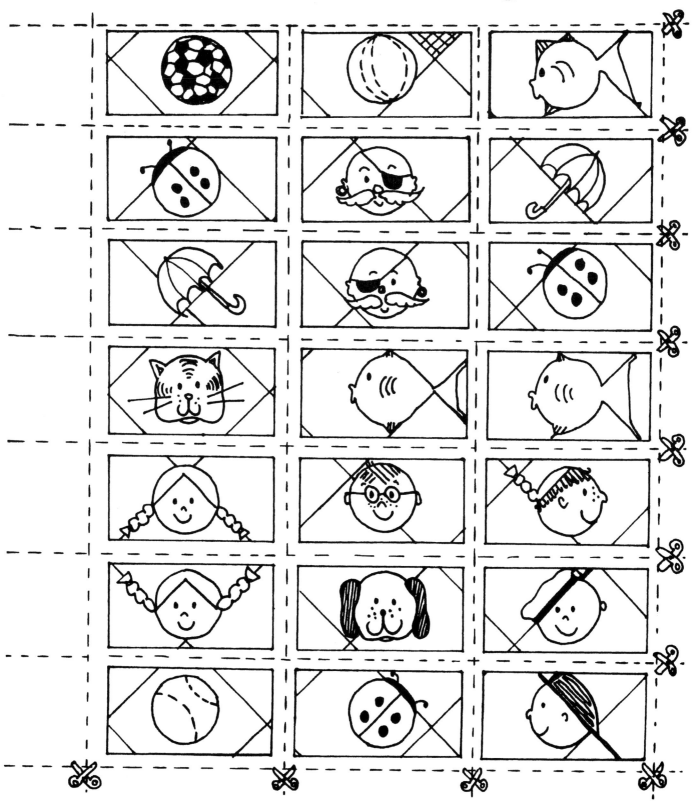

17

[Recuerde decir a su hijo que lamenta que no haya hecho bien las cosas, pero que usted confía que la próxima vez las hará mejor.]

TALONES DE ERRORES

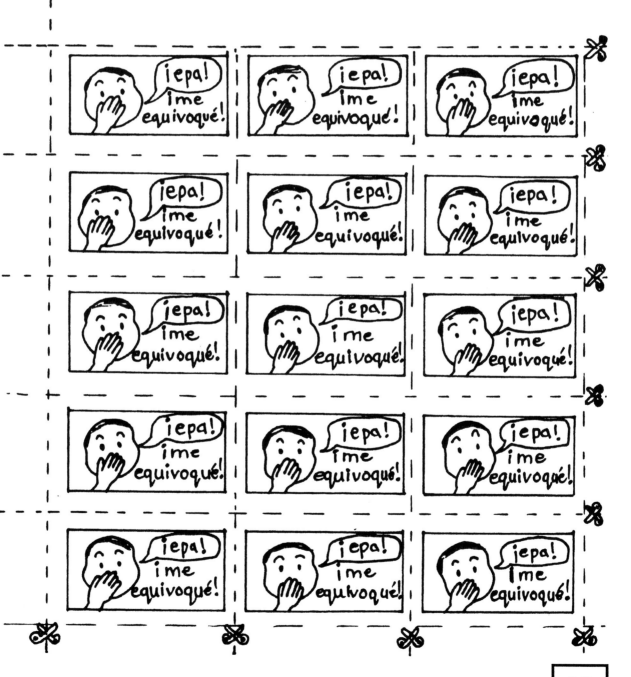

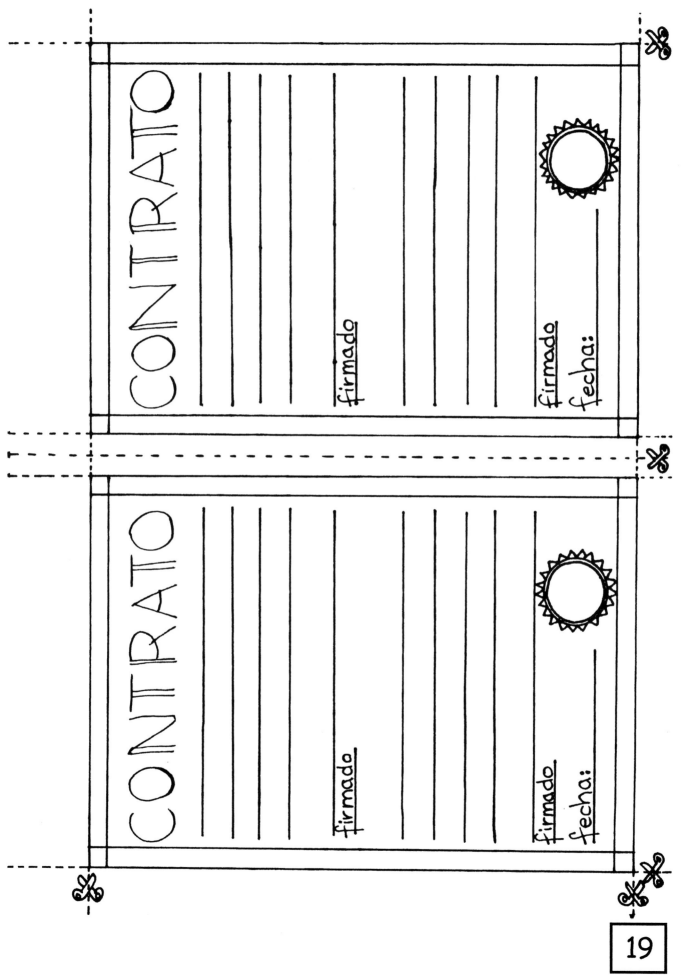

CONTRATO

firmado

firmado

fecha:

CONTRATO

firmado

firmado

fecha:

19

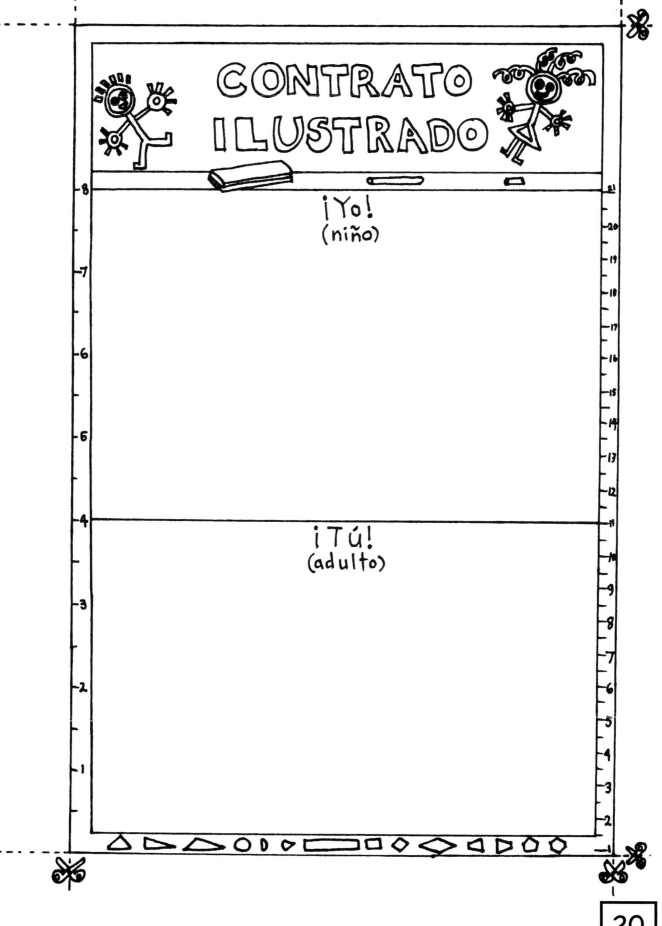

CONTRATO ILUSTRADO

¡Yo!
(niño)

¡Tú!
(adulto)

20

¡LO LOGRÉ!

nombre   fecha

nombre   fecha

¡LO LOGRÉ!

21

Printed in the United States
56093LVS00002B/161-248